Тьерри Коэн

Thierry Cohen

J'aurais préféré vivre

ПО ВОПРОСАМ РАСПРОСТРАНЕНИЯ ОБРАЩАЙТЕСЬ:

В Москве:
ООО "Издательская Группа "Азбука-Аттикус"
Тел. (495) 933-76-00, факс (495) 933-76-19
E-mail: sales@atticus-group.ru; info@azbooka-m.ru

В Санкт-Петербурге:
Филиал ООО "Издательская Группа "Азбука-Аттикус"
в г. Санкт-Петербурге
Тел. (812) 324-61-49, 388-94-38, 327-04-56, 321-66-58,
факс (812) 321-66-60
E-mail: trade@azbooka.spb.ru; atticus@azbooka.spb.ru

В Киеве:
ЧП "Издательство "Махаон-Украина"
Тел./факс (044) 490-99-01
e-mail: sale@machaon.kiev.ua

В Харькове:
ЧП "Издательство "Махаон"
Тел. (057) 315-15-64, 315-25-81
e-mail: machaon@machaon.kharkov.ua

www.azbooka.ru; www.atticus-group.ru

Тьерри Коэн

Я выбрал бы жизнь

Издательство "Иностранка"

Москва

УДК 821.133.1–Коэн
ББК 84(4Фра)–44
    К76

THIERRY COHEN
J'aurais préféré vivre

Перевод с французского
Нины Хотинской

Художественное оформление
Евгения Савченко

Коэн Т.
К76   Я выбрал бы жизнь : Роман / Тьерри Коэн ; Пер. с фр. Н.Хотинской. — М. : Иностранка, Азбука-Аттикус, 2013. — 288 с.
ISBN 978-5-389-02972-9

У Жереми день рождения, ему исполнилось двадцать лет. Именно в этот день он решает свести счеты с жизнью: он больше ничего от нее не ждет, его бросила любимая девушка. Запив таблетки несколькими глотками виски, парень теряет сознание — и приходит в себя год спустя. Он у себя дома, а рядом — его обожаемая Виктория.
Так умер он или нет? Может, он попал в рай? Или, наоборот, очутился в аду? Жереми не может вспомнить, что с ним было. Он словно потерялся на границе двух миров и превратился в зрителя, с ужасом наблюдающего, как мимо проходит его собственная, но словно чужая жизнь.

УДК 821.133.1–3Коэн
ББК 84(4Фра)–44

ISBN 978-5-389-02972-9

Эрику Хаиму Бенсаиду, моему другу.
Чтобы сказать ему, как я по нему скучаю

Элен и Жаку, моим родителям.
Чтобы сказать им, как я их люблю

Глава 1

8 мая 2001 года

Таблетки, виски, травка. Лечь, вытянуться. Я знаю, что делаю. Думать только о способе. Думать только о действиях. Думать только обо мне, здесь, в этой гостиной, о бутылке, о таблетках. Только я. Пробка. Тюбик. Открыть рот, положить таблетку на язык, поднести к губам бутылку. Проглотить. Думать о способе. Ни о чем больше. Ни о папе, ни о маме. Только не о них. О моей обиде. Я здесь один. Я и моя обида. Я знаю, что делаю. Папа и мама поймут. Может быть. Поймут или нет, мне плевать! Нет... Не думать об этом. Ни о ком не думать.

Сегодня решаю я! Я не хочу больше жить. Жизнь – пытка, мучение. Решаю я. И я решил, я от нее отказываюсь. Я хозяин положения!

А если вдруг изменит мужество, если захочется встать, все прекратить, я подумаю о ней. О той, что и есть жизнь и что отвергла меня. Не о других, не о тех, кто меня любит, но о ней, о той, что не любит меня, не хочет полюбить. Не хочет даже попытаться. Ее атласная кожа, зеленые глаза, улыбка. Ее улыбка! Ласка, которую дарит ее красота каждому, кто приближается к ней. Для меня она стала болью. Нет, все в ней — моя погибель, увлекшая меня в эту бездну. Бездна смерти против пустоты моей жизни. Какая разница?

Боже, как кружится голова. Боже... Зачем я к Тебе обращаюсь? Где Ты? Есть ли Ты? Слышал ли Ты мои молитвы? Что ж, давай сведем счеты! Как мог Господь милосердный сотворить такое чудо рядом со мной — и мне в нем отказать? С какой целью? Чтобы я страдал? Ты добился своего! Я страдаю. Так страдаю, что не хочу больше жить. Что, доволен? Я возвращаю Тебе мое будущее. Отдай его кому-нибудь другому. Ты показал мне лишь пропасть — и я бросаюсь в нее.

Я не боюсь.

Думать только о способе. Бумажный конус все дымится. Еще немного дурмана. Уйти от себя, чтобы расстаться с ней. Вот я уже плыву в дремоте от дыма и алкоголя. Скоро — таблетки. Это способ. Я обливаюсь потом. Но не боюсь.

Еще несколько секунд.

Думать о ней.

Я решил все ей сказать. Сегодня, в день, когда мне исполнилось двадцать лет. Освободиться от сомнений. Наконец узнать. Я готовился... Но надо ли мне было готовиться? Я был полон слов, все — для нее. Но она не стала меня слушать, не захотела понять. Я говорил ей о нашей детской любви. О начале истории.

— Но нам же было девять лет, Жереми, — с улыбкой ответила она.

На самом деле десять. Это не так уж мало — десять лет. Я был безумно влюблен. И она меня любила.

Для нее — всего лишь детская игра, несколько невинных поцелуев, нежная дружба, милая мелодия. Далекое, поблекшее воспоминание.

Для меня — начало жизни. Теплый свет из поры до того лета, что разлучило нас.

— Мы ведь стали друзьями. Ты даже был моим наперсником!

Жалкая роль, которую мне пришлось играть все эти годы, чтобы быть с ней рядом.

9

Видеть, как весь этот самовлюбленный сброд использует свою красоту, свои внешние данные. Она так любила нравиться. И тогда я отдалился. Попытался забыть ее. Тщетно. Боль, надежда. До потери дыхания.

С этим надо было кончать. В день, когда мне исполнится двадцать. Вроде ультиматума, который ставишь сам себе, чтобы сделать терпимым ожидание.

Сказать ей о моей любви, попытаться ее уговорить. Слова как жемчужины, время осело перламутром вокруг раны.

Я видел, что моя речь ее тронула.

Несколько секунд она была моей. Или мне это пригрезилось?

Появился он — и все рухнуло.

— Познакомься, это Юго. Мой жених.

От этих слов я застыл. Боль, моя спутница, притаившаяся где-то между сердцем и желудком, внезапно проснулась, сильнее прежнего. Как последний отчаянный штурм — перед неизбежным концом.

Она моя. Только моя. Моя!

Я с такой силой думал, что выкрикнул это вслух.

Он ударил меня. Я упал — жалкое зрелище. Она удержала его. В глазах — нежность, в словах — жалость.

— Я люблю его. А тебя я не люблю, Жереми. Я никогда тебя не любила! И никогда не полюблю! Мне очень жаль.

Слова, чтобы унять его пыл, чтобы убить мою любовь. Каждое — как плевок в мою душу.

И они ушли.

И все кончилось.

Я докурил косяк. Лежу, вытянувшись, с таблетками в одной руке, с бутылкой в другой. Единственный выход.

До скорой встречи, Боже! Мы сведем с Тобой счеты! Тебе придется объясниться! Я не приму никаких оправданий. Заслужить прощение Ты мог бы только здесь. Что уготовил Ты мне там, за чертой, если здесь мой ад? Я предстану перед Твоим судом, чтобы ответить за мое прегрешение? Ты не приемлешь самоубийства, отвергаешь самоубийц? Меня Ты отверг при жизни. Ты в ответе за мой поступок!

Картины вставали в мозгу Жереми, как последние искры угасающего огня. Его родители смотрели, как он уходит. Мать, плача, тянулась к нему рукой. Отец взирал на него холодно. Потом появилась маленькая девочка и скользнула между ними. Сестренка заняла

11

его место. Он застонал. Противник грозен! Надо действовать быстро, заглушить эту давнюю боль или обратить ее в свою пользу. Разве это не оправдание его поступка?

Он положил таблетки на язык и запил их глотком виски.

Под кожей стал растекаться холод. Достаточно быстро и мощно, чтобы погасить двадцать лет его жизни. Ему послышался голос. Виктории? И то, что прошептал ему этот голос, такой далекий, нарисовало еле заметную улыбку на его окаменевшем лице.

"С днем рождения, Жереми!"

Глава 2

Он проснулся от света. Приятное тепло окутывало его. Ему было хорошо.

Его последняя мысль перед смертью была о потустороннем мире, с надеждой прийти к чему-то лучшему и найти ответ.

А теперь нежный свет лизнул его веки.

"Я умер, и мой путь окончен. Я пойду дальше, за грань, к яркому свету, к истине. И может быть, пойму смысл моей жизни".

Он полежал, ожидая движения, которое понесет его к этому свету. Но почему-то не приблизился к нему.

Что-то ласково коснулось его живота. Это ощущение удивило его. Потом он почувствовал тяжесть собственного тела и, кажется, услышал биение сердца.

Мысль пронзила его ужасом: он еще не умер!

Он попытался открыть глаза, и сияние ослепило его.

Размытое видение, потом что-то шевельнулось.

Он вздрогнул. Очертания, тени и цвета постепенно проступали: каштановые волосы, женское лицо.

"Не может быть! Это сон! Предсмертный бред! Это лицо... Абсурд!"

Опираясь подбородком на две длинные руки, сплетенные на его животе, на него с улыбкой смотрела Виктория.

14

Жереми оцепенел, словно загипнотизированный этим невероятным видением.

— Ну что, проснулся наконец? — тихо сказала она.

"Лицо Виктории. Ласка Виктории. А теперь — ее голос".

— Ну же, лодырь! Подъем!

Пальцы Виктории гладили его грудь.

"Она здесь, рядом. Она смотрит на меня, говорит со мной..."

— Ты собираешься просыпаться, или я встаю?

Он попытался пошевелиться и, к своему удивлению, протянул руку к руке Виктории, коснулся ее.

"Что это — сон, иллюзия, фикция? Кто ее режиссер? Бог? Дьявол?"

Его охватили одновременно страх и восторг. Хотелось кричать, плакать, смеяться.

Он решил радоваться мгновению, поддавшись этой галлюцинации, которую подарила ему смерть.

Молодая женщина прижалась к нему. Ее кожа показалась ему легким шелком, скользнувшим по его телу. Еще нежнее, чем в его снах. Когда лицо Виктории оказалось в нескольких сантиметрах от его лица, он не отвел глаз, любуясь каждой его черточкой. Ее огромными зелеными глазами, длинными ресницами, ее губами, приближавшимися теперь к его губам.

Сколько раз ему снилось, как он обнимает ее.

Она нежно поцеловала его в губы, и он отдался этому сладостному бреду.

"Какая разница, реален этот момент или нет? Я в нем живу!"

— Слушай, ты не мог бы живее откликнуться? — возмутилась она. — Если у месье день рождения, значит, месье имеет право лежать бревном?

День рождения? Он вздрогнул. Что это значит? Неужели смерть уважила ультиматум, отвергнутый жизнью? Или там, в глубинах бездны, время и небытие столкнулись, слились, чтобы даровать ему последнюю радость? Он решил насладиться моментом, прожить до конца этот бред, прежде чем окончится его земной путь.

Она прильнула к нему всем телом, и ему показалось, что ее кожа тает и растекается в нем.

Жереми лежал, не смея шевельнуться.

— Да обними же меня! — нахмурилась она. Потом подняла голову и посмотрела на него с лукавинкой в глазах: — Ты не хочешь подарка?

Она снова поцеловала его, и Жереми ощутил вкус ее губ. Он чувствовал себя пьяным, убаюканным грезой, до реальности выпуклой.

— Я погашу свет, — шепнула она.

"Не надо темноты, нет еще! Мрак поглотит нас, заберет Викторию и уведет меня к концу моего пути! И этой передышке, такой чудесной, придет конец!"

Свет погас, но тело Виктории осталось рядом с ним.

— Теперь ты обнимаешь меня слишком крепко. Я не могу шевельнуться, — сказала она ласково, с улыбкой в голосе.

Виктория по-прежнему лежала рядом.

Жереми держал ее за руку. Он боялся, что оргазм станет завершением его сна. Сколько снов заканчивалось именно так! Он лежал неподвижно, со страхом ожидая мгновения, когда придется расстаться с ней и наконец умереть.

Виктория уперлась подбородком в его грудь и прошептала:

— Знаешь, глупо, но я не могу не думать, что год назад... ты хотел умереть. Из-за меня.

Сев на постели, потрясенный, он пытался осмыслить слова Виктории.

"Год назад? Мой день рождения? Так мы живы? Почему я не помню этот год?"

Его рассудок пошатнулся под натиском безумных вопросов, обрывочных мыслей, абсурдных ответов и предположений.

Несуразность ситуации стала невыносимой, и он поднялся. Нервно потер затылок, силясь принять решение.

Было слышно, как Виктория напевает под душем "Гимн любви"[1].

Жереми оглядел комнату — светлая, в бело-кремовых тонах, в современном стиле,

---

[1] "Гимн любви" — популярная песня из репертуара Эдит Пиаф.

довольно холодная, но кое-какие вещи ожив-
ляли ее. Некоторые он узнал. Клубное кресло,
которое ему подарили родители, лампа
с красным абажуром, купленная у молодого
дизайнера, две яркие подушки.

Он подошел к окну и раздвинул плотные
занавеси. Луч света упал на кровать, в нем
заплясали пылинки. За окном шла обычная
жизнь, прохожие, машины, уличные шумы.

Он снова осмотрел комнату, освещенную
теперь дневным светом, и заметил настен-
ный электронный календарь. На нем был снимок Эс-Сувейры, его родного города. Белые
и голубые дома, согнувшиеся под ветром де-
ревья. Он подошел ближе, чтобы прочесть
светящуюся дату: 8 мая 2002 года.

8 мая 2001 года он покончил с собой.

Жереми сел в кресло, не сводя изумленных
глаз с календаря.

Чтобы не поддаться накатывающему безумию, он заставил себя успокоиться. Надо
было подумать и рассмотреть все возможные
гипотезы. Если он умер, то, может быть, попал
в рай, где каждый день — день его рождения.
Или это ад, и он обречен вечно переживать
один и тот же сон, всегда в один и тот же день.
А если он жив — значит, самоубийство не уда-

лось и он потерял память. Целый год выпал из жизни.

В дверях ванной появилась Виктория в белом купальном халате, с замотанными полотенцем волосами, розовощекая, улыбающаяся. Любовь всей его жизни была рядом с ним.

— Что ты смотришь на календарь? Проверяешь дату? Ну да, сегодня твой день рождения! Почему, ты думаешь, я на тебя набросилась с утра? Это тебе подарок! — пошутила она. Потом, вглядевшись в серьезное лицо Жереми, нахмурилась: — Да что с тобой сегодня? Почему ты дуешься? Ты с утра какой-то странный.

Не зная, что и думать, он решился задать ей вопрос:

— Я...

Он заговорил впервые после пробуждения, и собственный голос удивил его.

Он осекся, вслушиваясь в звучавший почти уверенно басок.

— Да?

Она заинтригованно склонила голову.

Что он мог ей сказать? Если все это лишь иллюзия, к чему признаваться ей в своем смятении?

Но молчать он больше не мог.

— Я забыл...

— Ты забыл? Что, сердце мое? Свой день рождения? — пошутила она, на сей раз без улыбки.

Он был так серьезен, так напряжен.

— Что ты забыл, любимый? — повторила она.

— Я все забыл, — выдавил он из себя, удивленный и восхищенный нежностью Виктории. — Я ничего не помню. Эта квартира мне незнакома. Я не помню, что было вчера, позавчера, месяц назад.

Виктория озадаченно взглянула на него и пожала плечами. Она села на диван и принялась сушить волосы полотенцем.

— Виктория. — Он затрепетал, произнеся ее имя. — У меня амнезия... кажется.

— Ну брось, хватит! Эти твои сомнительные шуточки!

Она продолжала энергично вытирать свои длинные волосы, наклонив голову.

"Как ей сказать? А нужно ли? В конце концов, каков бы ни был мир, в котором я живу, настоящее и будущее, если они у меня есть, прекрасны, раз она со мной! Так что мне до прошлого? Двенадцать месяцев — что это такое в сравнении с вечностью?"

20

И все же Жереми знал, что не сможет быть самим собой, если не обретет память об этих двенадцати месяцах. Он решил предпринять последнюю попытку.

— Мне правда что-то нехорошо. Голова болит. И...

При этих словах Виктория подняла голову и посмотрела на него снисходительно:

— Это, наверное, после вчерашнего. Ты столько выпил, ничего удивительного!

Жереми вздрогнул.

"После вчерашнего? Много выпил? Я же терпеть не могу спиртное. Но почему бы нет? Да! Я праздновал свой день рождения и так напился, что забыл целый год".

Гипотеза была смелая, но правдоподобная и вполне утешительная.

"В таком случае я, конечно, жив! И когда пройдет похмелье, память вернется!"

— А что было вчера? — спросил он, радуясь этой мысли.

— Ну ты был хорош! Ты правда не помнишь? — спросила она насмешливо.

— Нет.

— Я понимаю, что тебе хочется забыть! Ты чуть не испортил праздник. Травил неприличные анекдоты, объяснился в любви

Клотильде... чуть было не ударил Пьера, когда он попросил тебя замолчать.

Она сказала все это, не поднимая головы, улыбаясь уголком рта.

Ее слова потрясли его. Как он мог? Он слишком робок, чтобы так себя вести. Неужели за год он до такой степени изменился?

— Объяснился в любви Клотильде? А Пьер?

— Не волнуйся, они не обиделись. Они знают, что ты дуреешь, когда выпьешь. А я вчера на тебя разозлилась. Ладно, я понимаю, твой день рождения, алкоголь и все такое... И вообще, — с улыбкой добавила она, — твое признание Клотильде было таким пошлым по сравнению с тем, что ты сделал мне всего год назад.

— Ты говоришь о моем признании в парке? Но... Я, наверно... Я ведь не раз говорил тебе с тех пор...

Она улыбнулась еще нежнее:

— Да, конечно. Ласковые слова. Знаки внимания. Но не настоящее признание. Не то, от которого наворачиваются слезы...

Она помедлила, словно заново переживая те минуты.

— Ты так меня потряс, что я бросила человека, который сделал мне предложение, ради тебя!

22

Это откровение глубоко взволновало Жереми. Оно отчасти открыло перед ним его историю и объяснило присутствие Виктории в комнате, но собственное поведение изрядно удивило его.

Он подошел и сел с ней рядом. Взял ее руки и приложил к своим щекам.

— Знаешь, я могу говорить тебе такие вещи, и даже еще лучше, каждый день.

— Какой ты сегодня серьезный! Я тебя обидела, милый? — спросила она нахмурившись.

— Нет, просто у меня ужасно... болит голова.

Она приложила руку к его лбу.

23

— И правда, ты неважно выглядишь. Бледный как смерть.

От этих слов Жереми пробрал озноб.

Он решился все ей сказать. Она одна могла помочь ему.

— Я совсем плохо себя чувствую. Я не помню, что было вчера... но и весь прошлый год тоже не помню. Абсолютная пустота.

Он встал и прошелся по комнате, продолжая говорить:

— Я понимаю, это кажется невероятным, но у меня... амнезия. Странная амнезия, потому что я забыл только этот год, — добавил он. — Я помню все предыдущие двадцать лет.

И даже несколько минут перед тем, как я... попытался...

Виктория застыла посреди гостиной, с тревогой глядя на него.

— Ты серьезно?

— Совершенно серьезно.

Лицо у Виктории было озадаченное.

— Может, из-за выпивки? — предположила она без особой убежденности.

— Может быть.

Они молча смотрели друг на друга несколько долгих секунд.

— Я поняла! Это удар! — вдруг воскликнула Виктория. — Вчера я пыталась тебя уложить, но ты стал отбиваться — и упал! Ударился головой о стойку кровати. Ты сказал, что все в порядке, но у тебя вскочила здоровенная шишка. Ты уснул, и я решила, что ничего страшного. Но ты все-таки ударился очень сильно. Надо было отвезти тебя в больницу!

Это объяснение успокоило Жереми. Он запустил руку в волосы и действительно нащупал бугорок справа от макушки. На душе у него сразу полегчало. Физическая причина, удар... Наконец-то конкретный факт, хотя бы отчасти объясняющий ситуацию.

Виктория взяла его под руку и осторожно усадила на край кровати — так обращаются со стариками. Глядя на нее, взволнованную, обеспокоенную, он укреплялся в мысли, что жив. Жив, но не здоров. И Виктория с ним и любит его.

Страх отпустил, и Жереми захотелось кричать от радости.

— Ты хоть что-нибудь помнишь? — спросила Виктория.

— Абсолютно ничего.

— Как мы в первый раз были вместе? — задала она следующий вопрос с лукавой улыбкой.

— Для меня это было сегодня.

Ее глаза округлились.

— Эту квартиру? — продолжала она.

— Впервые вижу.

Понизив голос, она обратилась к нему, как к больному:

— Сделай усилие. Как ты очнулся в больнице после попытки... И как выздоравливал у меня дома?

— Нет. Я помню только самоубийство, а потом — нас с тобой сегодня утром. В промежутке — ничего.

— Невероятно! Ты хочешь сказать, что ты и со мной впервые... Что ты только сейчас узнал, что мы с тобой...

— Да.

25

— С ума сойти! — воскликнула она, потом глубоко вздохнула и решительно поднялась. — Ладно, не беспокойся. Эта амнезия временная.

— Временная и избирательная?

— Что мы знаем об амнезии? — сказала она и направилась к телефону. — Я позвоню Пьеру, чтобы он отвез нас в больницу. И твой лучший друг будет с тобой, тебе это пойдет на пользу.

Они стояли у его кровати. Жереми помнил Пьера. Он был из лицейской компании Виктории. Жереми знал тогда всех ее приятелей и классифицировал их по степени опасности. Самых красивых, самых обаятельных он ненавидел. Другие, не обладавшие таким козырем, как привлекательная внешность, самим своим существованием представляли угрозу. Виктория была достаточно восприимчива, чтобы не устоять перед сильным и своеобразным характером. Остальные были допущены "ко двору" за юмор, за добрый нрав. Пьер располагался между второй и третьей категорией. Он смахивал на Вуди Аллена. Славный парень, остряк, с умным взглядом, редкими волосами и заурядными чертами лица. Жереми помнился его хрупкий, чуть сутулый силуэт, частенько видневшийся подле Виктории на вечеринках. Она даже порой держала Пьера за руку, и Жереми завидовал ему, но и был благодарен за то, что тот заботился о ней, как он надеялся, бескорыстно.

Жереми не знал, когда и как Пьер стал его лучшим другом. Его присутствие было удивительно. От его предупредительности и явной тревоги становилось не по себе.

Пьер склонился к Жереми:

— Слушай, дружище, я знаю, ты не любишь об этом говорить, но сейчас есть повод.

Виктория с беспокойством смотрела на него, кусая губы.

— Ты помнишь эту больницу? Год назад Виктория привезла тебя сюда. Ты был в прескверном состоянии. Бутылка виски и куча таблеток... Ты впал в кому.

— Повторяю тебе, я не помню, — с раздражением ответил Жереми.

— Черт, — процедил сквозь зубы Пьер. — Ну а какое твое последнее воспоминание?

— Бутылка, косяк, таблетки, моя гостиная...

— А до того? Ты помнишь свою жизнь до попытки?..

— Да, все помню.

— А после — ничего?

— Ничего. Десятый раз тебе говорю.

— Извини. Я, наверно, тебя утомил, — вздохнул Пьер.

Он сел на край кровати.

— Давай о хорошем: обследование ничего тревожного не показало! Конечно, врач осторожничает. Он говорит о "вероятных психосоматических источниках". Вроде бы твоя суицидальная попытка — корень всего. Я не думал, что она тебя угнетает. Ты никогда об этом не говорил.

— Это правда, — сказала Виктория, — но именно потому, что она его угнетала.

— Что удивительно — избирательность твоей амнезии.

Пьер помедлил.

— Ведь ты же... не знаешь меня! — продолжал он.

— Только в лицо, с лицейских времен.

— В лицо! — повторил Пьер. — Меня, лучшего друга! Я ухаживал за тобой, пока ты выздоравливал, я доставлял тебя домой живым и невредимым после каждой пьянки... и ты меня знаешь... только в лицо!

— Извини, мне очень жаль...

Присутствие Пьера мешало Жереми. Его вопросы, его теплое отношение раздражали. Ему хотелось остаться наедине с Викторией, поговорить с ней, обнять.

— Пьер, ты мог бы нас оставить? — спросил Жереми немного суховато.

Пьер удивленно вскинул голову.

— Конечно, — ответил он, стараясь скрыть обиду. Потом, обернувшись к Виктории, добавил: — Звони мне сразу, если будут новости. Не пропадай.

Последняя фраза тронула Жереми. Он протянул Пьеру руку. Тот пожал ее, нагнулся и поцеловал его в щеку.

— Когда придешь в норму, обнимемся.

Жереми стало неловко, но он только крепче сжал руку.

Когда Пьер вышел, Виктория села рядом с Жереми и погладила его по лицу. Снова нахлынуло счастье.

29

— Вот как, значит, месье меня не помнит?

— Для этого мне надо было бы забыть двадцать лет моей жизни. Но о том, что мы пережили вместе, у меня нет никаких воспоминаний. Поэтому видеть тебя здесь, рядом со мной, это... почти сверхъестественно. Может быть, если бы ты рассказала мне, что произошло за этот год, мне бы это помогло?

— Это какое-то безумие — рассказывать тебе историю, которую МЫ пережили так недавно. Ну ладно, попробую.

Виктория легла рядом, взяла его за руку и уставилась в потолок.

— Останови меня, если что-то вспомнишь, — проговорила она. — Все началось с твоей ссоры с Юго, моим... женихом, после того как ты сказал, что любишь меня. Ты лежал на земле, а он был вне себя от ярости. Он кричал, ругался, издевался над тобой, и я за тебя вступилась. Меня возмутила его злоба. Атмосфера накалялась, и он понес невесть что. Даже обвинял меня, мол, это я тебя распалила. Знаешь, он был очень импульсивный. Я побаивалась его перепадов настроения. Я сказала ему, что твое признание меня все-таки глубоко тронуло.

Она рассмеялась.

— Он вспылил и наговорил кучу гадостей. Тогда-то я и поняла, что не смогу построить жизнь с таким... примитивным человеком. Я не была по-настоящему влюблена в него. Он красавец. На таких все девушки западают. Глупо, но мне льстило, что он выбрал меня. Такой вот я тогда была...

Она понизила голос, словно пряча замешательство.

— В общем, я оставила Юго и пошла домой. И по дороге я думала обо всем этом. О тебе. О том, как у тебя дрожали губы, когда ты го-

30

ворил. О твоих словах. О твоей беззаветной
любви. О наших детских играх. Да, правда, ты
не совсем мой тип мужчины. Ты был давним
поклонником, приятелем. Я знала, что ты без
ума от меня, и мне это нравилось. Вообще-то
я любила парней мускулистых, спортсменов,
хотя от них не приходилось ожидать ни одного нежного слова. И тут твое признание...
такое прекрасное... твоя любовь, твои чувства... Во мне что-то щелкнуло! Я должна
была тебя увидеть, сама не зная толком, почему. Сегодня мне кажется, что это было,
возможно, предчувствие. Твой адрес я знала.
Я часто видела, как ты подкарауливал меня
с балкона. Дверь была не заперта. Я позвала
тебя. Ты не отвечал, и я прошла в гостиную.
И увидела тебя на диване, а рядом бутылку
из-под виски и таблетки... Я сразу все поняла.
И вызвала "скорую помощь".

Она помедлила, взволнованная, заново переживая те события.

Счастье переполняло Жереми. Виктория
рассказывала ему их историю, конкретные
факты, подтверждавшие, что он жив и жизнь
его немыслимо прекрасна.

— Когда "скорая" приехала, ты был в состоянии клинической смерти. Лежал весь белый и очень красивый. Твое лицо выражало

31

решимость. Я совсем растерялась. Я плакала. Звала тебя. Кричала: "Я тебя люблю!" — надеясь, что, где бы ты ни был, ты услышишь мои слова. Я молила Бога вернуть тебя к жизни — это я-то, неверующая! И наверно, Он услышал меня, потому что врачу удалось запустить твое сердце. Но ты оставался в коме до вечера. Я была рядом, когда ты очнулся. Вместе с Пьером. Он удивился, увидев, как я переживаю за тебя. Я не могла ничего ему объяснить. Говорила о своей вине, но сама знала, что дело в другом. Когда ты очнулся, то не сразу понял, что произошло. И не хотел говорить о своем поступке. Ты вообще ни слова не говорил целую неделю. Я приходила к тебе каждый день. И Пьер тоже. И однажды здесь, в больнице, я тебя поцеловала. Ты помнишь наш первый поцелуй?

Она задала этот вопрос легким тоном.

— Нет... я...

"Как я мог забыть этот поцелуй? Я так его жаждал".

— Так трудно представить, что ты этого не помнишь, — грустно сказала Виктория.

Жереми пожалел, что причинил ей боль, и попытался отвлечь ее:

— Расскажи мне об этом поцелуе. Я так мечтал о нем!

На ее лицо вернулась улыбка.

— Ну вот, мы с тобой много говорили, пока ты выздоравливал. Вернее, говорила я. Ты все больше молчал. Мне казалось, что ты совсем не знаешь меня или за что-то злишься.

— О чем ты?

Она погладила его по щеке.

— Забавно, потом мы с тобой никогда не говорили об этом периоде, а теперь, из-за твоего состояния, я должна все тебе сказать. Ну вот... Ты был холоден со мной, почти равнодушен! Как будто твоя любовь умерла и с ней испарилась какая-то часть тебя. Я восприняла это как вызов и стала тебя завлекать. Хотела, чтобы ты снова в меня влюбился. И ты не устоял перед моими роковыми чарами!

Они оба засмеялись.

— Однажды я потребовала у тебя нового признания. Ты сказал мне прекрасные слова. Ну, не настолько прекрасные, как в тот раз, в парке, но все-таки... Мы целовались с тобой здесь, в больнице. И даже занимались любовью в твоей палате, номер, кажется, шестьдесят шесть. Хорошенькое место для первого раза!

Странное дело, Жереми почувствовал ревность к тому, другому себе, которого

33

Виктория целовала и с которым пережила те волшебные минуты.

— А потом? — спросил он.

— Когда пришло время тебе выписываться из больницы, я устроила так, чтобы ты поселился у меня. Врачи говорили, что тебя нельзя оставлять одного. Вот я и вызвалась тобой заняться!

Она покраснела, обернув к нему свое задорное личико. Он улыбнулся ей.

— Через месяц ты решил отказаться от своей квартиры и окончательно переехал в мою двухкомнатную. Ты был полон планов! Как раз нашел работу...

— Какую работу?

— Ты и этого не помнишь?

— Я учился на факультете графического искусства... Оформителем? Мультипликатором?

— Нет, нет. Ты больше в руки не брал карандашей. Ты торговый представитель.

— Что? — почти выкрикнул Жереми.

— Да, и превосходный! У тебя большое будущее, тебя очень ценит начальство. Ты продаешь промышленный клей.

— Торговый представитель? Это же совсем не мое! Я никогда не умел говорить о деньгах!

— Видно, любовь тебя изменила, родной, потому что тебе уже светит повышение. Всего за несколько месяцев: это своего рода рекорд на твоем предприятии.

— С ума сойти...

Жереми окончательно растерялся от этого нового открытия.

"Торговый представитель? Не может быть! Я слишком робок для этого! Я же хотел быть художником. Я был увлечен своим делом и даже не бездарен!"

— Я думаю, не стоит продолжать тебе все это рассказывать. Ты весь вспотел, и у тебя усталый вид.

— Я хочу знать.

— Стоп! — перебила она встревоженно. — Больше я ничего не скажу! Ты слишком разволновался. А это наверняка вредно в твоем состоянии.

Он хотел возразить, но она прижалась губами к его губам. Поцелуй длился долго. Потом она высвободилась и встала. Он не выпускал ее руки. На языке у него вертелось еще множество вопросов. А родители? Как они отнеслись к его самоубийству? Очень ли на него сердиты?

— Я оставлю тебя, отдыхай. Уже поздно. Мне не разрешили остаться с тобой на ночь. Я ведь все-таки не твоя жена!

— Скоро ты ею станешь, — отозвался он слабым голосом.

35

— Тсс... Я мечтаю о более романтичном предложении, и место можно выбрать более... приятное. Пусть в первый раз мы были вместе в больнице, это не значит, что здесь должны происходить все главные события в нашей жизни!

Виктория рассмеялась и наклонилась его поцеловать.

— Я приду завтра утром. Надеюсь, ты уже будешь в норме, — шепнула она.

Когда Виктория вышла, Жереми вдруг понял, что в палате совсем темно. Холод волной захлестнул его, хотя он обливался потом. Он хотел сесть, но обнаружил, что тело не повинуется ему. Дышать стало трудно.

"Сердечный приступ", — подумал он и тщетно попытался собраться с мыслями. Он как наяву увидел сцены, которые описывала ему Виктория, и даже, кажется, ощутил во рту вкус виски. Капли пота текли по его лицу. Он хотел позвать на помощь, но не смог издать ни звука, стал искать кнопку звонка и не нашел. Зрение его помутилось. Он широко раскрыл глаза, боясь, что они закроются навсегда. Смерть? Нет! Не сейчас! Не теперь, когда его жизнь обрела смысл!

Он услышал странный голос, глухой и заунывный, зазвучавший где-то слева от его кровати. Он оглянулся и там, совсем рядом, увидел старика. С белой бородой, в темном костюме. Глаза его были закрыты, тело мерно раскачивалось. Он читал кадиш. Поминальную молитву, которую читают евреи, чтобы укрепиться в незыблемости своей веры. Молитву об усопших, воспевающую красоту жизни. "Да возвысится и освятится Его великое имя в мире, сотворенном по воле Его..."

Старик извивался и корчился, твердо чеканя каждое слово, словно заклиная незримую силу. Голос его был скорбным стоном. Жереми испуганно уставился на него. Он вспомнил своих родителей, и ему захотелось, чтобы они были рядом. Он снова стал маленьким мальчиком, оцепеневшим от страха после кошмарного сна. Как в те ночи, когда умерла сестренка. Где же они? Может быть, тоже умерли от горя после его самоубийства? Они так его любили! Как он мог причинить им такую боль? "Мама!" — хотел крикнуть он, но из перехваченного горла вырвался только глухой хрип.

Старик дочитал молитву и подошел к нему. Он смотрел на него с мучительной болью. Его лицо было совсем близко. Жереми невольно устремил взгляд в его глаза, полные печали. Кожа у него была обветренная, морщинистая

37

и тонкая, как бумага. Губы шевелились, произнося неслышные слова. Потом старик нагнулся еще ниже, и Жереми его услышал.

— Не надо было! — говорил он, и каждое слово звучало как жалоба. — Нет, не надо было! Жизнь, жизнь, жизнь.

Он заплакал, повторяя это слово все громче, душераздирающим голосом:

— ЖИЗНЬ, ЖИЗНЬ, ЖИЗНЬ...

И Жереми увидел, как слеза, скатившись, отделилась от лица, упала на его руку и обожгла ее в том месте, где коснулась.

Эта боль была последним, что он почувствовал.

Глава 3

Вероятно, Жереми, спал слишком долго. Он лежал в блаженном оцепенении, и ему было хорошо. Вскоре всплыли воспоминания о вчерашнем: как он силился дышать, как не мог пошевелиться, как появился старик, как он плакал и что говорил. Ему даже показалось, что он чувствует боль от ожога на руке.

До него донесся какой-то тихий писк. Страх подстегнул сознание, и Жереми открыл глаза, ожидая увидеть старика. Он резко сел и заморгал от вспышки света.

Он был уже не в больнице, а в комнате, той самой, где проснулся в прошлый раз.

Писк прекратился.

Жереми осмотрел себя, пытаясь понять, как оказался в этой кровати, и вдруг замер.

На безымянном пальце левой руки блеснуло в утреннем свете обручальное кольцо.

"Что это значит? Где Виктория?"

Он позвал ее слабым голосом. Снова послышался писк.

Он позвал еще раз, громче. На миг воцарилась полная тишина. А потом пронзительный крик, где-то справа, совсем рядом, заставил его вздрогнуть. В нескольких сантиметрах от него, в плетеной колыбельке, корчился младенец — он-то и издавал этот сердитый крик. Багровый от натуги, он вопил во всю мочь, со всхлипом переводил дыхание и ревел еще громче. Жереми оторопел, чувствуя себя одновременно актером и зрителем непонятной сцены.

"Откуда взялся младенец?"

Звонок нарушил мерный ритм детского плача. Он стал искать телефон, используя мгновения, пока ребенок переводил дух. Телефон прозвонил уже четыре или пять раз, когда он нашел его.

— Жереми? (Это был голос Виктории.) Да что там у вам происходит? Почему он плачет? Ему еще не время!

— Я не знаю, — пробормотал Жереми. — Где ты?

— Что?

— Где ты?

Он почти проорал это, чтобы до нее докричаться, и рев младенца усилился.

— Не кричи так, ты его пугаешь! — запротестовала Виктория. — Я в фитнес-клубе, только что закончила. О-ля-ля, надо его успокоить, маленькое чудовище! Приложи телефон к его уху.

Жереми повиновался, ничего не понимая. Он не слышал, что говорила Виктория, но младенец угомонился. Глаза его, казалось, искали источник голоса. Он наконец умолк, еще судорожно всхлипывая, и багровое личико постепенно светлело.

Жереми снова взял телефон.

— Вот! — воскликнула Виктория удовлетворенно. — Голос мамочки его успокоил. Если он опять заплачет, возьми его на руки. Я вернусь через десять минут. С днем рождения, любимый.

Жереми показалось, что он сходит с ума. Виктория отключилась, а он так и стоял на еще непослушных ногах, не сводя глаз с телефонной трубки.

"Опять тот же кошмар. Я просыпаюсь в день моего рождения, и часть моей жизни мне незнакома. На этот раз я женат, у меня ребенок. Это какой-то фарс!"

41

Младенец снова заплакал, оторвав Жереми от его мыслей. Этот рев раздражал его, мешал спокойно обмозговать это новое потрясение. Взять ребенка на руки он не решался.

— На кой черт мне этот сосунок? — проворчал он вслух и тут же пожалел о своей агрессивности. — Я ведь даже не знаю, как взять младенца.

Он приподнял ребенка. Крошечная головка резко откинулась назад. Вспомнив советы, которые когда-то слышал, он подложил ладонь под его затылок, поддерживая. Прислонил его к своему плечу, чувствуя пальцами, как маленькое тельце напрягается с каждым криком. Нерешительным шагом он прошел несколько метров, отделявшие кроватку от ванной. Ребенок успокоился. Тут Жереми вспомнил про электронный календарь и направился к стене. Фотографию Эс-Сувейры сменил вид склонов холма Круа-Русс в Лионе. Там он провел первые годы своей жизни, когда его родители покинули Марокко. Число и месяц были те же, но год другой. 8 мая 2004 года.

"Два года! Два года прошло с моей госпитализации! Два года, о которых я ничего не помню! Еще два года улетучились!"

Слезы потекли по его щекам, они брызнули сами собой, словно смывая ком, набухавший в желудке. В эту минуту в замке входной двери повернулся ключ. Вошла Виктория. Она изменилась. Волосы были короче, стрижка каре преобразила лицо. Она расцвела, стала более округлой, более женственной. И еще красивее, чем прежде.

— Привет, мои хорошие! — весело поздоровалась она.

Жереми отвернулся и вытер глаза краем распашонки.

Виктория подошла и поцеловала ребенка в лобик.

— Что с тобой? Ты что, плакал?

Надо ли говорить ей о новом приступе? Ему показалось, что разумнее будет подождать, попытаться самому понять, что с ним происходит.

43

Он слабо улыбнулся.

— Я не плачу. Это... малыш. Слезами намочил мне щеки.

Виктория выразила свое удивление легкой гримаской. Потом перевела взгляд на ребенка и преобразилась.

— Ну что, сердечко мое, ты звал мамочку?

Она взяла младенца на руки и нежно прижала к груди.

— Так-то ты поздравляешь с днем рождения своего папочку?

Она повернулась к Жереми, протянула ему губы.

— С днем рождения, любимый.

И тут же снова принялась тетешкать сына.

Жереми умилился. Виктория — такая славная мамочка. Его жена. У них родился ребенок. Сын. Он больше не мальчишка, потерявший голову от любви, но муж и отец. Ситуация пока не укладывалась у него в голове, но такая действительность ему подходила.

"Если я болен, то вылечусь", — убеждал он себя.

44

— Сейчас папочка покормит тебя молочком. А я пойду готовить обед для наших гостей.

Она, не спрашивая, передала ему ребенка и протянула бутылочку с соской. Хрупкость этого крошечного существа взволновала его. Малыш был такой легкий, такой уязвимый. От прикосновения маленького тельца потеплело на душе. Он поднес соску к ротику ребенка.

— Какой ты неловкий, Жереми! — сказала Виктория, поправляя его руку. Наклони бутылочку, вот так, и поверни соску, не то он захлебнется. Можно подумать, ты в первый раз его кормишь! Ты не находишь, что он становится все больше похож на тебя? — добавила она и ушла в кухню.

Жереми смотрел, как ребенок жадно сосет молоко: светлые глазки, точеные черты, тонкий носик. Он походил скорее на Викторию.

Мысль о том, что у него есть сын, глубоко всколыхнула его. Он чувствовал себя таким молодым. Всего несколько дней назад он сам был только сыном...

Жереми подумал о своих родителях. Он не видел их, с тех пор как... так давно.

Виктория окликнула его из кухни, прервав его размышления:

— Он поел?

Да, ребенок высосал всю бутылочку и, наевшись, задремал.

Жереми не отвечал, и Виктория появилась в дверях гостиной.

— Дай его мне теперь, я его уложу.

Несколько раз поцеловав малыша в лобик, она уложила его в корзину и заботливо укрыла.

— Я на кухню. Поможешь мне?

Он с любопытством последовал за ней.

— Когда выпьешь кофе, помоги мне чистить овощи. Я приготовлю только закуску. Остальное заказала на дом из ресторана.

— Да, конечно, — ответил Жереми.

Простота этой сцены тронула его. Он начал испытывать известное удовлетворение, вот так запросто войдя в быт, где у него были место и роль, жена и ребенок. Он был счастлив оказаться в этой домашней обстановке, в этой кухне, где пахло стряпней и кофе. Он смотрел на разложенные на столе овощи, на дымящуюся чашку, початый батон, открытую пачку масла. Ему вдруг сильно захотелось есть. Ощущение колоссальной пустоты, сосущее и какое-то лихорадочное, распространялось из желудка по всему телу теплыми волнами и легкими содроганиями. Он вспомнил, что уже испытывал такое, когда был моложе. Чувство утраты равновесия, потери контроля, с примесью предвкушения, когда он знал, что беспокойство скоро вытеснит удовольствие от обильной, горячей и сладкой еды.

Он взял хлеб, отрезал кусок, густо намазал маслом и жадно укусил. Затем отхлебнул обжигающего, сладкого кофе и, проглотив, зажмурился от наслаждения.

Виктория рассмеялась.

— Ты так сильно проголодался? Можно подумать, ты не ел уже...

"Два года", — захотелось ему ответить, но он удержался и снова откусил от бутерброда.

Утолив первый голод, он решился приступить к расспросам:

— Кто придет к обеду?

— А ты уже не помнишь?

Он смутился.

"Она намекает на мою болезнь? Неужели мне часто случается забывать?"

— Ну, к обеду будут Пьер и Клотильда. Потом, конечно, на кофе пожалует твой босс, он придет после гольфа, да, его светлость играет в гольф. Ты очень хотел его пригласить, что ж, это твой день рождения... А вечером... как насчет ужина влюбленных, только вдвоем?

— Да... конечно... отличная мысль, — выдавил из себя Жереми.

47

— Мне бы хотелось куда-нибудь пойти, в ресторан, но я еще не готова доверить Тома постороннему человеку. Мы еще успеем попраздновать. А пока будем ответственными родителями! — улыбнулась она.

Тут, воспользовавшись случаем, он задал вопрос, не дававший ему покоя:

— А мои родители, они разве не приглашены?

Она замерла и посмотрела на него изумленно:

— Ты шутишь?

Ее реакция ошеломила его. Что удивительного — пригласить родителей на свой день рождения? Он думал о них только что и горел желанием с ними повидаться. Жереми поднес к губам чашку, чтобы дать себе время подумать. Первое, что пришло ему в голову, — Виктория с ними не ладит. От второй мысли он оцепенел. Неужели они?..

Виктория все еще смотрела на него выжидательно.

— А почему бы мне их не пригласить? — сказал он, страшась ее ответа.

— Почему? — изумленно повторила Виктория. — Ты не разговариваешь с ними три года, а сегодня вдруг удивляешься, что они не приглашены?

Он выдохнул. Значит, они живы! Но облегчение длилось лишь долю секунды: слова Виктории отозвались в нем новой болью.

"Мы в ссоре? Три года? Не может быть! Мы никогда не ссорились!"

Они всегда были дружной семьей. Никаких склок, никаких скандалов. Семья, сплоченная любовью, да и общим горем.

Родители купили бар через два месяца после рождения Жереми. Эта маленькая забегаловка почти не оставляла им свободного времени. Мать работала, пока он был в школе. Отец же почти не бывал дома. Бар занимал его целиком. Он возвращался поздно вечером усталый и отдыхал перед телевизором, стараясь не думать о том, что завтрашний день будет похож на уходящий и на все грядущие. Жереми был бы рад болтать с ним, забираться к нему на колени, но отец такого поведения не поощрял. В их доме вообще разговаривали мало, взгляды и улыбки заменяли слова. В этой тишине Жереми порой казалось, будто он слышит дыхание сестренки. Она, конечно, была с ними, притаившись в тени их жизней. Ее звали Анна, и родилась она через год после него. Когда ей исполнилось четыре месяца, мать нашла ее в кроватке мертвой, а рядом Жереми в слезах. Она оставила их ненадолго, чтобы сбегать в магазин. "Внезапная смерть новорожденного", — сказал врач, дав имя тайне, которую не в силах был объяснить. Потом Жереми говорил об этом с матерью лишь однажды. Ему было восемь лет. Его учительница, удивленная поведением ребенка, слишком, по ее мнению, тихого и молчаливого, посоветовала мадам Делег отвести сына к психологу. После этого визита она и рассказала ему, обливаясь слезами, о той сцене. "Я помню, мама", — прошептал он. Когда мать, ошеломленная, попросила пояснить, что он имеет в виду, он не нашелся что ответить. Он знал — и все.

49

— Ты не виноват. Ты был рядом, видел, что произошло, больше ничего, — поспешила она объяснить.

Что скрывать, порой в нежности матери, в молчании отца ему чудился как бы отголосок упрека. Но любовь, которой они его окружали, успокаивала его страхи. И в конечном счете эта утрата, эта затаенная боль, слезы, которые проливала мать каждый год в один и тот же день, подобно цементу скрепили их любовь.

Так как же сейчас он мог с ними не разговаривать? Эта мысль возмущала его до глубины души.

50

— Я хочу их видеть!

Виктория ошеломленно уставилась на него:

— Ты ни разу их не навестил, даже не отвечал на их звонки, ты не захотел показать им Тома, и вдруг сегодня с утра ты встаешь и говоришь, что хочешь пригласить их на свой день рождения?

Его ужаснула вкратце обрисованная Викторией ситуация. Он-то уже начал убеждать себя, что живет настоящей жизнью, вернувшись из путешествия в небытие, но теперь у него появились причины в этом усомниться.

— Как тебе объяснить... Да, я действительно хотел бы. Тебе неприятно? — промямлил он.

Виктория усмехнулась:

— Не путай роли! Я-то всегда хотела поддерживать с ними нормальные отношения. Но ты и слушать ничего не желал. А я ведь не раз пробовала тебя переубедить. Пыталась с тобой говорить, даже писала тебе об этом...

Жереми решил положить конец бессмысленной полемике.

— Ты была права... — проговорил он запинаясь. — Это мои родители, зря я так себя вел, и... я хочу с ними увидеться.

— Ты правда сегодня какой-то странный. Но тем лучше. Я сейчас же им позвоню... Пока ты не передумал! — добавила она и вышла.

Он остался в кухне и слышал, как она говорит по телефону.

Ему стало горько. Как он мог не разговаривать со своими родителями три года? Разве мало им было горя от его самоубийства? Какая черная неблагодарность! В тот день он думал только о себе. Он считал, что его жизнь принадлежит ему одному, что он — планета, затерянная в холодном космосе. А когда в бреду ему явились родители, указывая на всю низость его решения, он прогнал их из головы, чтобы не дать слабину.

До сих пор он воспринимал свою попытку самоубийства скорее положительно:

51

не она ли помогла ему завоевать сердце Виктории? Он трусливо избегал суждений, которые заставили бы его признать всю низость своего поступка. Да, наверно, он эгоистичный, глупый, недобрый.

Его рассудок туманился, и только телефонный разговор за стеной удерживал его в действительности.

Вошла Виктория.

— Ну вот! Твоя мама удивилась еще больше, чем я. Кажется, даже заплакала. Она придет к обеду. Познакомишь ее с Клотильдой и Пьером, они ее не знают.

— Она? А отец?

Виктория поджала губы.

— Она сказала, что для него это слишком скоро. Она попытается его уговорить, но вряд ли.

Виктория вышла в магазин. Ребенок спал. Жереми решил, воспользовавшись этим, осмотреть квартиру в поисках сведений о своем прошлом.

Он открыл большой белый шкаф напротив кровати. В нем оказалось много костюмов, рубашки, галстуки. Вся одежда была исключительно дорогих марок. Он заметил портфель, стоявший возле стула в прихожей. На нем были его инициалы — Ж.Д. Внутри он нашел ежедневник, несколько папок, карту автостоянки и счета. В ежедневнике — программа на неделю: совещания в дирекции, в отделе, с рекламщиками, деловые встречи в Париже и окрестностях. Во вторник он обедал с Пьером. В четверг тоже. Пьер, его лучший друг. Еще какие-то имена были записаны на время обеда, а иногда и ужина, но они ничего ему не говорили. В папках были его заказы. На визитной карточке он прочел: "Жереми Делег. Торговый представитель, Иль-де-Франс".

Он пролистал тонкую брошюрку. Это был рекламный буклет предприятия, на котором он работал, и его продукции, различных марок клея, в применении которых он ничего не понял.

53

Все это никак ему не помогло. Наоборот, он ощутил странное чувство вины, как будто подглядывал за чужой жизнью.

"Надо посмотреть фотографии! Они расскажут мне об этих улетучившихся годах, может быть, дадут какие-то зацепки!"

Жереми сразу нашел три альбома на книжной полке.

На первом стояла дата — 2001, написанная золотым шрифтом на обложке из искусственной кожи.

Каждая из фотографий, сделанных в первый год его жизни с Викторией, была подписана изящным почерком. Первый снимок удивил его. На нем он был усталый, осунувшийся, с тусклым взглядом. Виктория сидела у него на коленях и нежно обнимала его. Она — счастливая и улыбающаяся. Он — грустный и поникший. Контраст бросался в глаза. Судя по дате, фотография была сделана через несколько дней после больницы.

Он стал листать альбом. Чем дальше, тем больше собственный образ обретал для него жизнь и краски. Очень помогали подписи. "Монастир, наш первый отпуск", "Люберон, уик-энд", "Мой день рождения", "Новый год"... Он увидел многих людей, с которыми явно был очень близок, но все они были ему незнакомы.

Его внимание привлек снимок, где он стоял один, как потерянный. У него был странный взгляд. Жереми всмотрелся: глаза казались пустыми и совсем непохожими на те, что он видел на других снимках. Он вернулся к первым страницам, чтобы проверить, и с удивлением обнаружил, что на всех фотографиях, даже когда лицо у него веселое, взгляд все тот же. Словно две черные пуговицы на плюшевом лице. Но он сказал себе, что всем, кто пристально всматривается в собственные фотографии, знакомо это странное чувство. Когда-то ему случалось смотреть на себя в зеркало, повторяя собственное имя. Через несколько минут его лицо становилось чужим, соединением незнакомых черт и его имени — череды ничего не значащих звуков и слогов.

Второй альбом, как сообщало заглавие, был посвящен его свадьбе.

Он и Виктория в мэрии, она в великолепном белом платье, традиционном и элегантном, он в сером костюме, белой рубашке и антрацитового цвета галстуке. Оба улыбались гостям, обнимали их, смеялись. Своих родителей он не увидел, и сердце его сжалось. Он поискал снимки церковного венчания, но не нашел. Очевидно, они только расписались.

"Наша семья" — так назывался третий альбом.

Он начинался с нескольких снимков беременной Виктории. Она округлилась, и это ей очень шло. Все менялось, менялись люди, которых он любил, менялся мир, а он, Жереми, оставался прежним.

Потом пошли фотографии ребенка. На первом новорожденный младенец терялся на голубом фоне слишком большой для него распашонки. Подпись гласила: "Мой принц Тома". На других снимках он был запечатлен в разных положениях и костюмчиках. На некоторых и Жереми играл роль отца, держал ребенка на руках или кормил из бутылочки.

Он захлопнул альбом; голова шла кругом. Ни одна из этих фотографий не пробудила в нем воспоминаний. Он смотрел на них с тем же тревожным любопытством, как если бы проник в личные тайны брата-близнеца, которого не знал. Это была не его жизнь.

"Что же делать? Рассказать Виктории об этой новой амнезии? Ждать и надеяться на выздоровление? В конце концов, судя по этим снимкам, после прошлого приступа я нормально жил".

Он не слышал, как вошла Виктория.

— Да ты еще не одет? Ну-ка быстро! Уже почти полдень. Гости скоро придут.

И Жереми послушно направился в ванную.

Клотильда оказалась женщиной красивой и совершенно несносной. Холодная, самоуверенная красота. Жереми она не понравилась. Кривляка с претензиями. Значение имели только ее чувства и мнения, остальных она слушала вполуха. Пара, которую они состав-

ляли с Пьером, похоже, строилась на неглас-
ном договоре. В награду за ее красоту Пьер
позволял ей изображать из себя интеллек-
туалку. Порой от какого-то слова или жеста
Клотильды волна смущения туманила взгляд
или улыбку Пьера, но он, тотчас овладев собой, вновь смотрел на нее с любовью.

Жереми удивило, что Виктория выказывает Клотильде столько знаков дружеского
расположения. Они были такие разные.

Они уже минут двадцать сидели на диване.
Виктория подала аперитив и, не спрашивая,
вложила в руку Жереми стакан виски.

Пьер тепло обнял его, войдя. "С днем рождения, брат!" Он протянул ему бутылку вина.
"Твое любимое". Клотильда подставила ему
щеки для поцелуя, ничего не добавив.

Разговор шел теперь о днях рождения
и других праздниках. Клотильда, с помощью
самых банальных доводов, доказывала, что
все они — только повод поесть и выпить.

Жереми был бы рад насладиться этими минутами, но его продолжали мучить вопросы.

— Милый, — обратилась к нему Виктория, —
ты не сходишь за Тома? Кажется, он проснулся.

— Да-да, — подхватил Пьер. — Наверно, со-
скучился по крестному!

Тома вздрогнул, когда увидел Жереми над своей колыбелькой. Отец и сын смотрели друг на друга с одинаковым любопытством. Каждый, казалось, безмолвно вопрошал другого. Жереми внимательно вглядывался в мимику ребенка, в его черты, в живые глазки, которые словно просили взять его на руки. Он пытался войти в реальную действительность через эту зарождающуюся любовь. "Это мое. Мой сын".

Жереми неловко поднял его и, боясь повредить, крепко прижал к себе. Как и в первый раз, от этого прикосновения на душе потеплело.

58

— А, вот и они! — воскликнула Виктория. — Хороши, правда?

— Тома чудо как хорош! О Жереми я бы этого не сказал, — смеясь, отозвался Пьер. Он протянул руки: — Смотри, он хочет к крестному. Узнал меня!

Жереми смотрел, как Виктория и Пьер развлекают младенца гримасами и бессмысленным лепетом. Клотильда ограничилась подобающей случаю улыбкой. Он даже отметил легкое раздражение столь инфантильным поведением жениха. Она встретилась с Жереми взглядом и не отводила глаз так долго, что он не выдержал и отвернулся.

"Что она так на меня уставилась?" Этот холодный испытующий взгляд ему не нравился. Ему захотелось заставить ее опустить глаза, и он, резко повернувшись к ней, сказал:

— Хочешь взять его на руки?

От неожиданности она растерялась:

— Э-э, нет, спасибо...

Довольный, что смутил ее, Жереми решил развить свое преимущество.

— Ты, похоже, не очень-то любишь детей, — заявил он с вызовом.

Повисло тягостное молчание. Виктория ошеломленно уставилась на Жереми. Он понял, что допустил промах. Пьер, который сначала следил за реакцией своей подруги, попытался скрыть замешательство, улыбаясь завозившемуся ребенку. Клотильда, стиснув зубы, продолжала смотреть на Жереми со сдерживаемой яростью.

Все, казалось, ждали его извинений.

— Извините меня. Я что-то устал, — выдавил он из себя без особого убеждения.

Виктория встряхнулась и сказала, что ей надо закончить с обедом. Встав, она устремила на Жереми взгляд, сосредоточив в нем весь гнев, который не могла ему высказать вслух.

— Клотильда, пойдем со мной, поможешь мне принести тосты.

Клотильда последовала за ней.

Пьер сидел не поднимая головы.

— Зачем ты это сказал, Жереми?

Жереми смутил как вопрос, так и сокрушенный вид Пьера. Он был взволнован. Но, собственно, чем?

— Не знаю. Я просто устал, вот и все.

— Ты в курсе, что у нас не получается завести ребенка, и говоришь ей такое!

В его голосе не было злости, только отчаянное желание понять.

Жереми стало стыдно.

— Мне очень жаль... Я идиот...

— Да, ты идиот. Но это не дает тебе права...

Раздался звонок в дверь. Клотильда и Виктория вернулись в комнату. Виктория оглянулась на Жереми, но, увидев, что он сидит, словно окаменев, сама направилась к двери.

— Это, наверно, твоя мама.

Со своего места Жереми не мог видеть прихожей. Он услышал голоса и крепче прижал к себе Тома. Когда в дверях появилась его мать, одна, сердце у Жереми так и подпрыгнуло. Она положила сумку и стояла неподвижно, в упор глядя на него.

Он нашел ее усталой, постаревшей, и это его неприятно кольнуло. Всего несколько дней назад, казалось ему, он оставил ее еще красивой, крепкой, любящей — и вот она перед ним ослабевшая и какая-то чужая. По строгому коричневому костюму и бежевой блузке он узнал вкус матери к скромной и элегантной одежде.

— Познакомьтесь, это Клотильда и ее жених Пьер, — сказала Виктория, — наши близкие друзья. А это мама Жереми, мадам Делег.

— Зовите меня Мириам.

Пьер и Клотильда подошли, чтобы пожать ей руку. Мириам вежливо улыбнулась им и снова повернулась к сыну.

Все очень старались держаться непринужденно, но усилия были слишком явны, и атмосфера стала тягостной.

— Мы вас оставим, — продолжала Виктория. — Пьер, Клотильда, вы оба мне нужны, поможете накрыть на стол.

Она подошла к Жереми, чтобы взять у него ребенка.

Он покачал головой. Ему показалось, что малыш может сыграть важную роль в том, что ему сейчас предстояло.

— Здравствуй, мама, — пробормотал он.

— Здравствуй, Жереми.

Голос ее был спокойным, степенным, однако в нем можно было различить сдерживаемое волнение.

— Папа... не пришел, — отметил Жереми.

— Для него еще слишком рано.

— Я понимаю. А ты?..

— Я?

Она улыбнулась горько и устало. Их глаза силились выразить все чувства, накопившиеся за годы разлуки. Ей хотелось быть суровее или, по крайней мере, сдержаннее еще немного, но плотина обиды уже поддавалась под напором эмоций.

"Она сердится на меня. Хочет дать мне понять, какую боль я им причинил".

Тома замахал ручонками и попытался повернуться к новой гостье.

Когда глаза ребенка устремились на нее, она прервала безмолвный диалог и сразу переменилась. Лицо ее стало ласковым, улыбка, полная бесконечной нежности, заиграла на губах, в уголках которых залегли морщинки.

— Смотри, я думаю, он знает, кто ты. Родная кровь.

— Родная кровь? Как странно. Иногда эти ценности перескакивают через поколение! — отозвалась она и печально улыбнулась.

Это замечание больно кольнуло его. Но он понял, что дальше она не пойдет. Это был последний выпад, спасающий честь после слишком скорой капитуляции.

— Он такой милый. Осторожней, ты неправильно его держишь. У него шейка заболит.

Она тихонько приблизилась.

— Иди сюда, сядь со мной и возьми его на руки.

Мать уже протягивала руки, чтобы принять ребенка.

Сидя рядом с Жереми, она держала Тома лицом к себе и улыбалась счастливой улыбкой.

Жереми чувствовал ее запах. Запах его детства. Смесь лавандовой воды и кондиционера для белья. Запах добродетельной честности.

Ему захотелось броситься к ее ногам, умолять о прощении, обнять ее.

— Мама... я... я не понимаю, как мог вас...

Но что он мог сказать, чтобы облегчить боль раненой любви? Слова теснились в горле.

— Я люблю тебя, мама.

Она напряглась, но сделала вид, будто не услышала, и продолжала улыбаться ребенку.

— Он такой славный. Мне так хотелось с ним познакомиться. Я ведь как-никак его бабушка.

Голос ее сорвался. В глазах блеснули слезы. Она приблизила личико ребенка к своему лицу и поцеловала, словно прячась за ним.

63

Жереми растерялся.

— Мне так жаль, что я причинил вам боль, тебе и папе. Это был не я! Я просто не узнаю себя во всем этом. Я так вас люблю.

Мать подняла на него мокрые глаза, продолжая целовать короткими поцелуями лобик Тома.

— Мы никогда не сомневались, что все делаем во благо, поверь мне, Жереми.

— Вы тут ни при чем. Как я мог заставить вас жить с сознанием вины? Это не вы, мама! Это отчаяние растерянного мальчишки. Я был влюблен в Викторию. Безумно влюблен. Она не обращала на меня внимания. А я не хотел жить без нее! Я знаю, это смешно, что я так говорю. Но самоубийство всегда смешно, пока его не совершишь. Оно существует только за секунду, за минуту до поступка. В этот момент оно гибельно. Вашей вины тут не было. Об остальном, о том, что происходило после, я не знаю, что и сказать. Наверно, это безумие продолжалось. Или, может быть, мне было стыдно. Я правда не могу объяснить...

— А почему ты захотел увидеть нас сегодня?

— Понятия не имею! Мне просто кажется, что я снова стал собой.

Он осознал, как странно прозвучало его объяснение.

— Я была так счастлива, что Виктория позвонила, — сказала она, улыбаясь сквозь слезы.

— А я так счастлив, что ты согласилась прийти. Но папа...

— Ему нужно время. Мать прощает быстрее.

Он обнял ее одной рукой за плечи и прижал к себе. Тома засыпал у нее на руках.

— Я чувствую, что буду безумной бабушкой, — сказала она, глядя на его сонное личико.

В дверях появилась Виктория. Увидев их прижавшимися друг к другу, она решилась войти.

— Я ужасно рада видеть вас вот так, — улыбнулась она и, подмигнув Жереми, весело продолжила: — Ну же, вставайте, будем обедать.

Жереми встал, взял мать за руку и помог ей подняться. Он привлек ее к себе и крепко обнял. Зарылся лицом в ее волосы, вдохнул их запах.

Честность, добродетельная честность.

Обед проходил в притворно непринужденной атмосфере. Клотильда, похоже, все еще сердилась. Жереми с матерью то и дело быстро переглядывались, словно говоря друг другу, как они рады быть вместе. Жереми с трудом вникал в слова друзей и жены. Частые отсылки к общим воспоминаниям делали их болтовню непонятной.

После обеда они остались в гостиной. Разговор крутился вокруг Тома. Вскоре Клотильда, пожаловавшись на головную боль, собралась домой. Пьер предложил проводить ее, но она отказалась.

— Оставайся! Все-таки день рождения твоего лучшего друга! — насмешливо фыркнула она, извинилась перед Викторией и мадам Делег и, сухо чмокнув Жереми в щеку, ушла.

Мадам Делег сказала, что ей тоже пора.

— Твой отец, наверно, ждет меня, хочет узнать... Но я еще приду. Теперь, когда я вновь обрела сына... И внука.

— Вы всегда будете желанными гостями, ты и папа.

Жереми обнял мать. Она отстранилась, чтобы лучше разглядеть его лицо, погладила его по щеке и поцеловала. Потом повернулась к Виктории:

— Спасибо... Спасибо за все.

Они тепло расцеловались.

— Можно мне фотографию малыша? — робко попросила мадам Делег. — Мужу будет приятно. Я поставлю ее на буфет в гостиной. Так ведь поступают все бабушки, правда?

Когда за ней закрылась дверь, Виктория подошла к Жереми.

— Ты счастлив? — спросила она, обнимая его.

— Да, я так хотел ее увидеть, — ответил он, улыбаясь с нежностью.

— Не верю своим ушам! — сказала Виктория, обращаясь к Пьеру.

Тот сидел на диване с хмурым видом.

— Ты какой-то странный с утра. Сначала требуешь своих родителей и удивляешься, что они не приглашены. Потом ни с того ни с сего обижаешь Клотильду. Потом молчишь весь обед.

Жереми опустился в кресло и обхватил голову руками.

— Я опять потерял память.

Оба ошеломленно уставились на него.

— Ты шутишь? — воскликнула Виктория.

— Нет, я ничего не помню.

— Как это — ничего? — не понял Пьер.

— Как в прошлый раз.

Он поднял голову и увидел их ошарашенные взгляды.

— Прошлый раз — это для тебя когда? — спросил Пьер.

— Если я правильно понял ситуацию, два года назад.

— Что ты помнишь с тех пор?

— Ничего. Абсолютно ничего.

— А до того?

— Я помню все, что было до моей попытки самоубийства, и потом — день, когда у меня случился первый... приступ. Ничего в промежутке и ничего после.

Виктория опустилась на диван рядом с Пьером.

— Ты серьезно? Не плети небылиц, чтобы оправдать свое поведение!

— Ничего я не плету, я как будто потерялся. Я не знаю, почему поссорился с родителями. Не знаю, что происходит у Клотильды и Пьера. Не понимаю ваших разговоров. Утром, проснувшись, я не знал, чей это ребенок. Мой сын! А я даже не помню нашей свадьбы, Виктория. Я чувствую себя опустошенным, таким опустошенным...

Жереми бессильно откинулся на спинку кресла.

— Черт! — воскликнул Пьер и вскочил. — Этого не может быть! Опять начинается! Врачи же сказали...

Виктория перебила его:

— Ничего они не сказали. Они сами ничего не поняли. "Эмоциональный шок". Все только это и твердили.

— Что было на следующий день после того, как меня положили в больницу? — спросил Жереми. — Я помню, что уснул в больничной палате. Мне было очень плохо. Я бредил.

— На следующий день ты вспомнил все, — ответил Пьер. — Кроме того, что было накануне. Такая вот избирательная амнезия. Врачи хотели тебя еще подержать, но ты отказался. Вышел на работу и больше никогда об этом не заговаривал.

— Они хотели тебя понаблюдать, — подхватила Виктория. — Но ты не ходил к специалистам, когда я тебя записывала. А поскольку все было в порядке, я и не настаивала.

— А в мой день рождения в прошлом году?

— Ты был в норме. Мы опасались рецидива. Врачи посоветовали поберечь тебя накануне, не оставлять одного, запретить спиртное. И все прошло хорошо.

Повисло напряженное, тревожное молчание.

— Надо опять в больницу, — предложила Виктория. — Это единственный выход.

— Нет, я не хочу. Если в прошлый раз они не поняли, что со мной, вряд ли сегодня будет иначе.

— Он прав, — согласился Пьер. — Они ни на что не способны. Сделают из него подопытного кролика, и больше ничего.

— Вы можете предложить что-нибудь получше? — с раздражением спросила Виктория.

— Возможно, мы могли бы рассказать тебе о том, что имело для тебя значение, показать места, в которых ты бывал? — подал идею Пьер.

— Сомневаюсь, что это поможет. Если даже встреча с мамой ничего во мне не пробудила...

— В чем-то ты прав, — кивнул Пьер. — Но в таких вещах нет никакой логики. Может быть, какой-нибудь пустяк, мелочь вызовет реакцию...

— Для начала отменим запланированное на сегодня, — предложил Жереми. — У меня нет больше сил притворяться.

— Ты прав, — решил Пьер. — Прикинь, если твой патрон увидит тебя в этом состоянии... мнемонического отрыва, он может усомниться в твоей надежности. Как раз когда тебе светит повышение...

— Что мне ему сказать? — спросила Виктория.

70

— Скажи, что у Жереми гастрит. Это проще всего. Не надо ничего объяснять и вполне правдоподобно.

Виктория пошла звонить.

Пьер сел рядом с Жереми и похлопал его по коленке:

— Слушай, ничего страшного не случилось. Если это как в прошлый раз, завтра память к тебе вернется, и... все будет забыто.

— Очень смешно.

— Говори себе, что это только вопрос времени. Ты как будто в дурном сне. Завтра утром проснешься, и он кончится. Все будет хорошо.

71

— Только я забуду этот разговор и буду знать, что болезнь может вернуться в любую минуту.

— Надо бы все-таки понять, что это... за болезнь.

— Очень трудно просыпаться в таком состоянии. От меня ускользает смысл моей жизни. Меня как будто разрезали на кусочки и разбросали их повсюду. Я восстановил несколько деталей головоломки, но они не соответствуют модели, которую мне показывают, чтобы помочь.

— Я что-то не улавливаю.

— Я не узнаю себя в человеке, которого вы описываете, с которым вы имели дело каждый день. Я люблю моих родителей, я не злой, разве что немного беспомощный. У меня нет коммерческой жилки, я скорее артист. Я не люблю спиртное... Как можно воссоздать память из кусочков человека, которые на этого человека не похожи? Вот скажи мне, каким меня видишь ты?

Пьер смущенно засмеялся:

— Ты тот еще фрукт! Пьяница, сквернослов, скандалист и так далее... — Он приобнял его за плечо. — Но ты хороший человек. Ты мой друг.

— Этот аргумент меня мало утешает, — шутливо отозвался Жереми. — Скажи мне, положа руку на сердце, каким ты меня видишь каждый день?

— Это что, игра в правду? — лукаво спросил Пьер. — Ты человек решительный, волевой. Любитель удовольствий. Ты любишь жизнь и умеешь ею наслаждаться как никто. Любишь хорошие рестораны, марочные вина, виски двенадцатилетней выдержки, оживленные разговоры, политику, свою работу, футбол, вечеринки с друзьями, отпуска, дорогие машины... Не любишь зануд, пустомель, своих сослуживцев, любителей светской жизни, вегетарианской кухни, религии в целом и отдельных религий, в общем, всего, что кажется тебе пустой тратой времени и мешает наслаждаться жизнью.

— Я не узнаю себя в этом портрете, — ошеломленно признался Жереми. — А Виктория?

— Виктория? Она спасает тебя каждый день. Она — твой ангел-хранитель, твоя страховка.

— Но... как я к ней отношусь? Я люблю ее?

Этот вопрос удивил Пьера. Он почесал в затылке, нахмурился:

— Ты меня об этом спрашиваешь? На это трудно ответить. Она — то прочное, что есть в твоей жизни. Ты это знаешь и благодарен ей.

— Это не тот ответ, которого я ждал.

В эту минуту вошла Виктория.

— Готово, позвонила. Мне показалось, что его это устроило, у него в разгаре партия в гольф. Он советует тебе отлежаться. О чем вы говорили?

— О Жереми. О его личности. И о тебе. О том, как он тебя любит, — смеясь ответил Пьер. — Я разговариваю с сумасшедшим!

— Вот как! И что же, ты любишь меня? — спросила Виктория, садясь к нему на колени.

— Вот именно, до безумия.

Он всмотрелся в лицо Виктории, которое было совсем близко, и вдруг понял, как ему повезло.

73

Она сжала его руку:

— Жереми, мне тревожно за тебя. Я думаю, нам надо обратиться к специалистам.

— Не беспокойся. Пьер прав. Завтра память ко мне вернется. Если нет — обещаю тебе, что сдамся врачам.

— Если только не забудешь свое вчерашнее обещание, — усмехнулся Пьер.

— Ты мне напомнишь.

— А не вздремнуть ли тебе сейчас? — предложил Пьер. — Это может пойти тебе на пользу.

При мысли о том, что придется лечь в постель, на Жереми накатила тревога. Шуткой он попытался прогнать осаждавшие его воспоминания.

— Мне хочется лечь, расслабиться, но не спать. Прикинь, если я еще раз перепрыгну в будущее! Пять лет, десять, пятьдесят! Открываю глаза и — о ужас! — в стакане лежат вставные зубы, а рядом Виктория пускает слюни!

— Прелестно! — рассмеялась Виктория.

— Я вас оставлю, — сказал Пьер, вставая. — Пойду проведаю Клотильду.

— Передай ей мои извинения, — сокрушенно пробормотал Жереми.

— Нет проблем. Я все ей объясню, она поймет.

74

Когда Пьер ушел, Жереми лег на диван. Виктория на минуту вышла и вернулась с бутылкой шампанского и двумя бокалами.

— Мы все-таки отпразднуем твой день рождения вдвоем...

Она протянула ему бокал:

— Ты сейчас думаешь о твоей амнезии?

— Только о ней и думаю, — сказал он и тотчас поправился, осознав свой промах: — Хотя мне очень хорошо сейчас с тобой.

Она улыбнулась:

— Скажи мне, что тебя гнетет.

— Я думал, что станется с нами, если завтра память ко мне не вернется. В конце концов, гипотеза о новой ремиссии ничем не подтверждается.

— Но в прошлый раз...

— Это был прошлый раз! Один раз — еще не правило!

— Не беспокойся. Если память не вернется, мы пойдем к лучшим специалистам. Ничто не помешает нашему счастью!

— Да уж, в историю мы с тобой попали исключительную! — усмехнулся он. — Не правда ли, фантастика — знать, что в каждый день рождения, просыпаясь, я буду обнаруживать новые сюрпризы? Представляешь, встаю, как ребенок рождественским утром, и бегу по ком-

75

натам считать наших детей. А как приятно будет увидеть новых друзей, которых я знать не знаю, развалившихся на моем диване!

— Хватит, не говори глупостей. Хотя мне больше нравится, что ты принимаешь это так.

— Что мне эта болезнь, если я счастлив с тобой.

Она погладила его по лицу.

— Настроимся на позитив, — продолжал он. — Эта амнезия позволяет нам взглянуть на нашу жизнь со стороны, осознать ее ценность.

Виктория просияла.

— И правда. Кстати, мне бы хотелось, чтобы мы с тобой серьезно задумались о втором ребенке.

Жереми взглянул на нее удивленно:

— Вот как? Но я ведь только что познакомился с первым.

Она пропустила эти слова мимо ушей.

— Я думаю, разница между детьми должна быть не больше двух лет, чтобы они стали по-настоящему близки. И потом, пока мы все равно в пеленках и сосках...

Она легла рядом с Жереми. Он невольно оробел, застигнутый врасплох этой близостью, но то было счастье.

— Давай сделаем Тома братика сейчас, — шепнула она ему на ухо.

Жереми так и не смог до конца отдаться наслаждению. Он скорее наблюдал происходящее, чем участвовал в нем.

Они допили шампанское, и Жереми, захмелев, никак не мог собраться с мыслями. Когда Виктория протянула ему маленький сверток с подарком, он попытался улыбнуться ей. Непослушные губы растянулись в бессмысленный оскал.

— Эй! — рассмеялась Виктория. — Да ты как будто пьян. Я никогда не видела тебя таким, ты и выпил-то всего ничего!

— Я, кажется, действительно немного перебрал, да и устал.

Он разорвал бумагу и обнаружил под ней что-то вроде ларчика из серебра тонкой чеканки. Не понимая, что это такое, он повертел его в руках.

— Эта безделушка привлекла твое внимание в витрине одной лавки на улице Розье[1]. Псалтирь в серебряном футляре. Ты так запал на эту вещицу, что я удивилась. Стоял перед ней как... загипнотизированный.

77

_____

[1] Улица Розье находится в историческом еврейском квартале Парижа.

Вообще-то ты не интересуешься религией. Но я подумала, что для тебя в этом есть какой-то смысл.

— Спасибо, — с трудом выговорил Жереми, удивленный странным подарком.

Он открыл футляр и извлек маленький томик, напечатанный на пергаментной бумаге. Пришлось сделать усилие, чтобы прочесть надпись на обложке: "Псалтирь. Иврит/Французский".

— Тебе не нравится?

— Нет... потрясающе... я... немного пьян. Я, пожалуй, отдохну.

— Ладно, я пока уберу все это.

Она встала, поставила бутылку и бокалы на поднос и направилась в кухню.

Оставшись один, он вдруг почувствовал, как по вискам течет пот. Ледяное дыхание сковало руки и ноги, живот, спину. Он открыл книгу и полистал страницы, с трудом дыша. Отодвинул ее, потом поднес к самым глазам.

"Ты возвращаешь человека в тление и говоришь: "возвратитесь, сыны человеческие!" Ибо пред очами Твоими тысяча лет, как день вчерашний, когда он прошел, и как стража в ночи. Ты как наводнением уносишь их; они — как сон, как трава,

которая утром вырастает, утром цветет и зеленеет, вечером подсекается и засыхает..."[1]

Внутри жгло как огнем. Неужели это от чтения ему стало так плохо? Дышать было все труднее. Он хотел встать, но тело ему не повиновалось.

"Те же ощущения, что тогда, в больнице". Веки его отяжелели. Он почувствовал такую усталость, что вынужден был лечь.

Уснуть он боялся. Что готовит ему пробуждение? И почему так нехорошо? Он снова взялся за книгу.

"Дней лет наших — семьдесят лет, а при большей крепости — восемьдесят лет; и самая лучшая пора их — труд и болезнь, ибо проходят быстро, и мы летим. Кто знает силу гнева Твоего, и ярость Твою по мере страха Твоего? Научи нас так считать дни наши, чтобы нам приобресть сердце мудрое. Обратись, Господи! Доколе? Умилосердись над рабами Твоими"[2]

Псалтирь выпала у него из рук, и он не смог ее поднять. Руки и ноги онемели. Он слышал, как Виктория возится в кухне. Хотел ее позвать, но не смог издать ни звука. Он

---

[1] Псалтирь, 89: 4–6. (Нумерация псалмов в иудейской и православной традициях не совпадает на один номер. — *Прим. ред.*)

[2] Псалтирь, 89: 10–13.

вдруг расслышал какой-то шепот и увидел свет у окна, но повернуть голову не удалось. Мокрый от пота, он был теперь полностью парализован. Только глаза еще могли двигаться. Ловя ртом воздух, Жереми боролся, чтобы продлить бодрствование еще на несколько мгновений. И тут он увидел у окна старика. Старик читал ту же молитву, кадиш об усопших. Откуда он взялся? Кто он? Надо было предупредить Викторию, сказать ей, что в квартиру проник сумасшедший!

ПРЕДУПРЕДИТЬ ЕЕ! ПРЕДУПРЕДИТЬ! Он попытался позвать, но ему не хватало воздуха. Он задохнулся — и провалился во мрак.

Глава 4

— Папа, папа.

Голос ребенка был тихий, но настойчивый.

— Папа, просыпайся!

Жереми медленно поднял голову. Рядом с ним на кровати примостился, поджав ноги, маленький мальчик; его огромные черные глаза, казалось, занимали все личико с правильными чертами. Длинные темные волосы падали на шею; он сидел, подперев ладонями подбородок, и, надув губки, смотрел на него.

— Ну же, папа, просыпайся, уже день!

Жереми снова откинул голову на подушку.

Он попытался собраться с мыслями, чтобы понять суть этой сцены. Но единственное, что всплыло в памяти, — его двадцать третий день рождения, чудесный вечер с Викторией, опьянение, Псалтирь и старик. Испуг с примесью усталости охватил его.

"Неужели опять начинается? Я больше не могу".

— Я есть хочу. Хочу молочка, — зудел тонкий голосок.

Жереми не шевельнулся.

"У меня опять приступ. Этот ребенок назвал меня папой. Это, видимо, Тома. Значит, я ушел на несколько лет вперед от моих последних воспоминаний. На три или четыре года". Он сокрушенно вздохнул. Размышлять он был не в состоянии. Воля его была сломлена.

Ребенку надоело ждать, он слез с кровати и вышел из комнаты.

Жереми остался лежать. Он прикрыл глаза рукой, защищаясь не столько от света, сколько от действительности.

Услышав звон разбитого стекла, он сел в постели.

Видно, сел он слишком резко. Голова закружилась. Он встал, но ноги, казалось, не держали его. Полузакрыв глаза, опираясь о мебель, он пошел туда, откуда раздался звук.

Он нашел ребенка в кухне; стоя на табуретке, тот рылся в подвесном шкафчике. Он дулся и даже не соизволил обернуться.

— Я хочу моего молочка, — сказал он твердо.

Жереми не знал, что делать. Он был ошарашен, словно не в себе, не мог ни думать, ни действовать. День, несомненно, готовил ему еще много сюрпризов. Надо было, однако, как-то жить в настоящем и для начала войти в роль отца.

Тома балансировал теперь на краю кухонной тумбы.

— Постой, я сейчас.

Ребенок уронил на пол банку варенья. Плиточный пол был усыпан осколками стекла, острыми и блестящими.

— Иди сюда, ты порежешься.

Он взял ребенка на руки и усадил на кухонный стол.

Все это он проделывал чисто механически. Ему хотелось оставить этого ребенка, вернуться в постель, отказаться от этой игры.

Жереми поискал тапочки. Нашел только пару мокасин в прихожей и сунул в них ноги. Он подтер пол бумажным полотенцем, ногой отодвинув осколки в угол. Потом полез в шкафчик, в котором рылся ребенок, и нашел чашку.

— Нет, я хочу из бутылочки, — сказал мальчик.

— Из бутылочки?

Ребенок был великоват для соски, но Жереми не хотелось вникать в это. Он взял бутылочку, на которую мальчик показывал пальцем, и достал из холодильника молоко.

Настоящее постепенно затягивало его, заставляя, как в тумане, совершать необходимые действия.

— Ты забыл какао.

— Ах да, какао! А где оно?

Ребенок, поджав губки, указал на кухонный шкафчик. Жереми нашел коробку какао-порошка. Он открыл микроволновую печь, поставил туда бутылочку и уставился на кнопки управления.

— Большая кнопка, — подсказал мальчик.

Он повиновался.

— Сюда, — продолжал его сын, указав пальчиком на цифру два.

Пока бутылочка разогревалась, Жереми осмотрел кухню. Это была не та квартира, что в его прошлое пробуждение.

Ему хотелось увидеть Викторию, поговорить с ней. Где же она?

Он посмотрел на ребенка. Мальчик был красивый. Его большие глаза не давали ему покоя. Ему казалось, что он их уже где-то видел. Но, едва задумавшись об этом, он узнал свои собственные. Ребенок был похож на него. "Потому что это мой сын", — подумал он, и от этой очевидности ему стало немного легче.

Ребенок смотрел на него с любопытством.

— Ну как, Тома?

Мальчик поднял брови:

— Я не Тома, я Симон.

Жереми сам удивился спокойствию, с которым принял эту информацию.

"Двое детей? Почему бы нет? Теперь меня уже ничем не удивить. Но сколько же лет я забыл на этот раз?"

— Симон? Ну да... Прости, я еще сплю... А где Тома?

— Играет в своей комнате.

Микроволновка выключилась. Жереми достал бутылочку, протянул ее Симону и направился в гостиную. Открыл одну дверь — за ней был кабинет. На другой двери висела яркая диснеевская табличка с надписью "Тома и Симон". Жереми вошел. Мальчик постарше сидел перед экраном монитора с джойстиком в руке. Он не заметил Жереми, сосредоточенный на видеоигре.

Жереми подошел к нему и почувствовал, как забилось сердце.

— Тома?

Ребенок не ответил.

"Может быть, это не он?"

— Тома! — повторил он тверже.

Мальчик не повернул головы.

"Ему, наверно, года четыре или пять. Может быть, шесть. А Симон, видимо, на год моложе".

— Ты не мог бы прерваться на пять минут, пожалуйста?

Мальчик нажал на кнопку паузы и, не оборачиваясь, скрестил на груди руки.

— Тома!

— Что? — вяло отозвался ребенок.

"Значит, это он. Подумать только, младенец, которого я еще вчера держал на руках! Это какое-то безумие!"

— Ты... ты позавтракал? — спросил он наобум.

Ребенок пожал плечами.

Он явно дулся. Может быть, только потому, что ему помешали играть.

Жереми подошел ближе и присел перед ним на корточки. Мальчик опустил голову.

— Посмотри-ка на меня.

Тома поднял на отца строгий взгляд.

"Он больше похож на маму, — отметил Жереми. — Просто ее портрет. Эти тонкие черты, эти зеленые глаза, этот рот".

Он был взволнован и смущался перед этим маленьким чужаком со знакомым лицом, которого помнил — казалось, это было только вчера! — грудным младенцем.

— Где мама? — спросил Жереми.

Вопрос удивил ребенка и, кажется, даже разозлил. Он с вызовом уставился на отца.

— А то ты не знаешь, — сухо ответил он.

Что это значило? С Тома Жереми было не по себе. Ему хотелось обнять его и поцеловать, но поведение мальчика к этому не располагало.

— Ладно, играй.

Он оставил Тома, который тотчас снова взялся за джойстик, и, вернувшись в кабинет, без сил рухнул в кресло.

"У меня двое детей".

Он повернул сиденье и увидел перед собой электронный календарь на стене. На картинке была школа, похожая на ту, в которую он ходил в детстве. Он прочел дату. 2010. 8 мая 2010 года. "Не может быть! С моего последнего воспоминания прошло шесть лет! Мой день рождения! Это история без конца!"

Он попытался сориентироваться во времени. "Тома шесть лет, даже чуть больше. Симон — наш второй ребенок. Он младше

87

на год или два. Мы переехали на новую квартиру. Мне двадцать девять лет".

Он обреченно вздохнул. "И это все, в чем я уверен? Как может жить человек, так мало знающий о себе?"

Ему захотелось посмотреться в зеркало; он вышел из кабинета и пошел искать ванную.

В зеркале он увидел все пометы, которые оставило время на его лице. Кожа немного поблекла. Волосы на несколько миллиметров отступили, две-три морщинки залегли в уголках чуть запавших глаз. У него украли жизнь. Он старел резко, рывками. Время било его наотмашь, и после каждого удара Жереми отключался, чтобы очнуться через годы. "Вот именно, моя жизнь похожа на череду оплеух между короткими проблесками рассудка. Вспышки света в темном коридоре. И я старею".

Желудок стиснуло спазмом. Ему хотелось есть. Тот же голод, что в прошлый раз. Этот признак жизни пробудил в нем желание действовать. Сейчас он поест, чтобы восстановить силы и ясность ума. Он хотел бороться. С чем? С кем? Как? Этого он еще не знал. Просто отказывался смириться.

В холодильнике он нашел кусок курицы, бутылку фруктового сока, колбасу. Он ел и пил быстро, чтобы подавить свою слабость, не разбирая вкуса пищи, но ее ощущение на языке было приятно. Вошел Тома, и Жереми стало стыдно за жалкое зрелище, которое он являл собой.

— Хочешь поесть чего-нибудь со мной? — спросил он.

Тома не ответил. Он направился к кухонному шкафчику, открыл его и достал две шоколадки.

— Знаешь, тебе нельзя сейчас есть шоколад. Если ты не завтракал...

Но Тома вышел, не дожидаясь конца фразы.

Жереми почувствовал себя глупо. "Кто я такой, чтобы делать ему замечания?" Ему было неловко в новой для себя роли отца, импровизация не очень удавалась.

Зазвонил телефон.

Подумав, что это может быть Виктория или его мать, он кинулся в гостиную.

Тома уже снял трубку. Он говорил тихим и грустным голосом:

— Да... хлопья и шоколадку... он выпил свое молоко...

Мальчик говорил с Викторией.

— Когда ты приедешь? — спросил он. — Почему ты уехала?

Голос его срывался. Он чуть не плакал.

— Я не хочу здесь оставаться. Приезжай за нами... Да... Хорошо... Я тоже... Даю его.

Жереми подошел, чтобы взять трубку, но мальчик позвал братишку. Симон подбежал и схватил телефон. Только тут Тома заметил в гостиной отца. Не говоря ни слова, он смахнул слезу и ушел в свою комнату.

Жереми хотел было пойти за ним, утешить. Но не мог. Это он был причиной горя Тома. В растерянности он слушал, как Симон говорит с Викторией.

— Мамочка? — Голосок у Симона был веселый. — Да, молочко... Ты где?.. Ты приедешь?..

Мальчик внимательно слушал, кивая головкой, как взрослый.

— Я тебя люблю, мамочка... очень, очень, очень... хорошо... обещаю... я тоже...

Он хотел повесить трубку, но Жереми подскочил и вырвал ее у него из рук. Симон удивленно смотрел на него, хмуря бровки.

— Виктория? — почти выкрикнул Жереми. Повисла пауза.

— Да?

— Виктория? Где ты?

— У родителей. За городом.

— Но почему?

— Почему? Отдыхаю.

Голос Виктории был холодный и насмешливый.

— Ты... ты вернешься?

— Не сегодня. Жереми, я не хочу говорить обо всем этом. Я уехала, чтобы побыть одной. И поверь, мне нелегко не видеть детей. Надеюсь, ты хорошо заботишься о Тома. Ему сейчас тяжело. Постарайся поговорить с ним. Постарайся быть, наконец, ему отцом!

— Я не понимаю...

— Я тоже не понимаю. Ты прекрасно знаешь, что поэтому я и уехала. Мы поговорим обо всем вечером. Я позвоню около восьми. Не забудь их выкупать. И они должны быть в постели самое позднее в половине восьмого.

— Постой, я хотел тебе сказать...

— Нет, вечером, Жереми, вечером. Да, кстати, с днем рождения.

91

Жереми расхаживал по гостиной, мысленно повторяя слова Виктории и пытаясь найти в них хоть какую-нибудь зацепку.

Она на него сердится. Так сильно, что уехала, оставив его одного с детьми. Похоже они поссорились. Он чувствовал себя виноватым. Виктория не стала бы обижаться на пустом месте.

"Что же я ей сделал? Что за человеком я стал? Я не хочу ее потерять! Так скоро!"

Она упрекала его за отношение к детям. Он плохой отец. И плохой муж.

"Очевидно, у нас просто кризис семейной жизни".

Эта гипотеза немного успокоила Жереми: у них просто трудный период. И его можно пережить. Он, тот, кем он был сейчас, хоть и ничего не помнил, но знал, что у него хватит сил преодолеть испытание. Но другой Жереми? Он почувствовал, как в нем поднимается ненависть к этому двойнику, ломавшему его жизнь. Как он мог рисковать всем? Как мог обижать Викторию?

Он бессильно опустился в кресло.

"Это уже шизофрения. Я сойду с ума, если не останусь собой, любящим ее, ценящим этот подарок жизни и благодарным ей".

Ему хотелось перезвонить Виктории и попросить прощения за все, что он сделал и сказал. Но к чему? Он ведь не знал, что произошло между ними. Тогда он решил позвонить Пьеру, поговорить с ним, объяснить, что у него снова приступ.

Он просмотрел номера на экранчике телефона и быстро нашел номер Пьера.

Ответил женский голос.

— Клотильда?

— Да? Кто говорит?

— Жереми.

— Жереми? Я тебя не узнала.

— Можешь позвать Пьера?

— Я здорова, спасибо, — насмешливо фыркнула она. — Передаю ему трубку.

Он слышал, как она звала Пьера.

— Жереми?

— Да. Я тебе звоню...

— Из-за Виктории?

Значит, Пьер был в курсе.

— Я говорил с ней по телефону вчера вечером. Она рассказала мне о вашей ссоре и перезвонила сегодня утром, чтобы сказать, что уезжает на два дня к родителям. У вас сейчас неладно...

— Я не знаю, я ничего не понимаю.

— Жереми, не надо. Не прикидывайся удивленным, а?

— Пьер, я правда ничего не понимаю... У меня опять приступ амнезии...

— Только не это, пожалуйста! — раздраженно воскликнул Пьер.

Жереми растерялся. Он ожидал сочувствия или, по крайней мере, удивления.

— Не держи меня за идиота, Жереми. Не говори мне этой чуши про приступы, если ты хоть мало-мальски меня уважаешь.

— Ты мне не веришь?

— Прошу тебя, — отозвался Пьер устало.

— Но, Пьер, это правда! Все как в прошлый раз, шесть лет назад, и до этого, восемь лет назад, и...

— И все остальные разы! — рявкнул Пьер.

Жереми вздрогнул. Что он имеет в виду? У него были еще приступы, которых он не помнит?

— Ты пользуешься этим предлогом каждый раз, когда нашкодишь! В прошлый раз это было, чтобы не ходить на день рождения твоей тещи, а в позапрошлый — чтобы избежать последствий твоих походов на сторону... Сколько можно, Жереми?

— Я не понимаю, что ты говоришь. Ты думаешь, я симулирую?

— И держишь меня за идиота! Я тебе скажу одну вещь, Жереми, потому что ты мой друг: кончай мнить себя центром Вселенной и думать, что можешь вертеть людьми как хочешь! Кончай считать нас дураками. Ты становишься все невыносимее. Ты меня достал, Жереми!

Голос постепенно повышался, и теперь в нем слышался гнев.

Жереми попытался осмыслить сказанное Пьером. Надо было отвечать, защищаться, спорить. Но он не мог: даже голос сел. Пьер счел его молчание знаком согласия и снова заговорил:

— Ладно, я с тобой прощаюсь. Викторию лучше не беспокой до завтра. И поговори с ней начистоту. Извини, что был груб с тобой, но мне кажется, тебе нужна встряска. Все, пока.

С тяжелым сердцем Жереми повесил трубку.

"Вот кто я такой. Манипулятор, неверный муж, хам... Вот почему Виктория уехала. Какой-то кошмар!"

95

В поисках зацепок он вспомнил об альбомах с фотографиями и нашел их в книжном шкафу.

Первые три были ему знакомы. Четвертый был посвящен Симону. Жереми на фотографиях появлялся все реже. Он быстро пролистал страницы и вздрогнул, увидев на одном снимке своих родителей, гордо сидевших перед объективом с внуками на коленях. Мать постарела со времени их примирения. Она ссутулилась, побледнела, выглядела более хрупкой. Но от вида отца у него защемило сердце. Что сталось с таким импозантным мужчиной? Куда девался супермен, который в его детских снах спасал свою маленькую семью от самых страшных чудовищ? Он похудел. Тело, казалось, согнулось под бременем усталости. Все неиспользованные отпуска отразились, по-видимому, на его здоровье.

Значит, он помирился и с отцом? Они встречались? Отец простил ему некрасивый поступок и недостойное поведение?

Снимок позволял это предполагать. Однако Жереми на нем не было.

"Или это я снимал?" — подумал он, успокаивая себя.

Размышлять об этом дальше ему не хотелось. Их отношения улучшились! Фотография тому подтверждение. Этого достаточно!

Он перешел к следующему снимку. Пьер и Клотильда сидели на террасе кафе. Пьер держал на коленях Тома и Симона. Тома хохотал. Пьер гримасничал. Клотильда же смотрела в сторону. "Какая странная женщина. Она никогда не выглядит счастливой?"

Жереми закрыл альбом и осмотрел свой письменный стол. Чистый, прибранный. Он выдвинул первый ящик и нашел там выписки с банковского счета, зарплатные квитанции, последнюю налоговую декларацию. Он стал коммерческим директором. Хорошо зарабатывал. Корешки чековой книжки говорили о том, что он не скуп и любит себя побаловать: костюмы, обувь, парикмахер, рестораны...

Нижний ящик был заперт на ключ, что усилило его любопытство. Полученные до сих пор сведения не позволяли ему разобраться в ситуации. Если он дал себе труд спрятать какие-то документы или вещи в своем столе, значит, это было что-то важное. Он поискал ключ на столе, оглядел комнату. Открыл шкафы, приподнял стопки пуловеров и рубашек, обшарил карманы пиджаков — тщетно.

97

Он заметил шкатулочку, стоявшую на тумбочке у двери. Подошел, взял ее и попытался открыть. Металлический ящичек был, казалось, закрыт герметически. Более темный участок на крышке походил на отпечаток пальца. Жереми приложил к нему указательный палец. Раздался щелчок, и крышка откинулась.

В шкатулке лежала связка ключей. Еще там был бумажник с кредитными картами "Американ экспресс" и "Виза" и пачка банкнот. Он взял ключи, вернулся к столу и открыл ящик.

Там было много интересного. Он увидел рамку с черно-белой фотографией, и волнение захлестнуло его. Это была одна из его немногих детских фотографий. Он с родителями. Их лица выражали гордость и робость — видно, они стеснялись позировать семьей. Жереми на снимке было шесть лет.

Почему он спрятал эту фотографию здесь? Она достойна была занять место в гостиной или в его кабинете.

Среди других вещей Жереми узнал серебряный ларчик с псалтирью, который подарила ему Виктория. Он взял его с опаской. В последний раз он держал его в руках, когда уснул, борясь с удушьем и странными видениями. Он открыл потускневший футляр, достал книгу и обнаружил, что некоторые страницы были грубо вырваны. Не хватало псалмов 30, 77 и 90. Кто это сделал — он? Нет, он не мог. Пусть он никогда не соблюдал религиозных канонов, но к предметам культа питал известное уважение. И, хоть его самоубийство противоречило основным законам религии, в которой он был рожден, на свой лад он веровал.

Еще он нашел стопку писем, перевязанную красной ленточкой. Он развязал ее и перебрал листки. Это были письма Виктории.

Первое датировано 14 мая 2001 года — через несколько дней после его попытки самоубийства.

"Жереми!

Мое письмо наверняка тебя удивит. Мы ведь проводим много времени вместе, и я все время разговариваю с тобой (чересчур много?). Но ты молчишь, и я могу только нести чушь или говорить на неинтересные темы. Ситуация сложилась небанальная. Я ухаживаю за человеком, который хотел умереть из-за меня и который теперь не хочет со мной разговаривать. Ты говоришь только во сне. Говоришь странные вещи. Даже пылко споришь с кем-то невидимым.

Врачи сказали, что ты перенес сильный психологический шок и что постепенно это пройдет. Вот я и жду.

Потому что ты важен для меня.

С тобой я делила мой первый смех, мои первые мечты. Мы были детьми, и ты выслушивал мой вздор, мои сказки про принцесс. Знай мы, как целоваться, как обниматься, мы бы это сделали. Но в ту пору нам было достаточно считать себя влюбленными и держаться за руки. Мы были чистыми и настоящими. Но я выросла. И мне захотелось новой публики, более придирчивой. Я отдалилась от тебя, отвела

99

тебе роль статиста. Я знала, что ты влюблен в меня, и мне это нравилось, потому что я была легкомысленна и хотела быть желанной. Я забыла тебя. Ты был частью моего детства, а я не хотела больше быть ребенком. Я хотела быть женщиной, которая сама решает, чему ей радоваться, кого любить, как жить. Я любила жизнь, Жереми. До безумия.

Конечно, сегодня ты можешь подумать, что твой отчаянный шаг покорил меня, что я вновь возгордилась доказательством любви, перед которым меркнут все остальные. Но ты ошибаешься. Меня покорила сила твоих слов. Я пришла к тебе после твоего признания, потому что ты сказал то, что мне всегда хотелось услышать. Ты наплевал на условности и на последствия, ты сказал мне о своей любви, потому что должен был это сделать. Как будто это был вопрос жизни и смерти. Я отказала тебе в жизни, и ты выбрал смерть. Я не сочла твой поступок героическим. Напротив, я нашла его смешным. Только жизнь дарит любовь. Я не понимаю твоего жеста. И никогда не пойму. Это крайность. Он пугает меня. Ты пугаешь меня. Но не твоя любовь. Твоя любовь меня не пугает.

Я хочу быть с тобой, хочу, чтобы ты выздоровел и снова улыбался мне. Ты занял важное ме-

сто в моей жизни. Ты разбудил меня. Я грезила о жизни, а ты открыл мне саму жизнь.

Не прикоснувшись поцелуем к моим губам...

Виктория".

Эти слова вызвали в нем воспоминания. О детстве, о годах, когда он жил, надеясь на любовь Виктории. Он поддался ностальгии, убаюкавшей его на короткое время. Ему стало хорошо. Нахлынули эмоции, способные заставить забыть все вопросы, сомнения, страхи.

Второй листок оказался распечатанным электронным письмом, отправленным 17 января 2002 года.

"Мой любимый!

Я люблю тебя (но я, кажется, это тебе уже говорила).

Я по тебе скучаю. Мама сказала, что я могла бы приехать с тобой. Я в этом не уверена. Я должна все-таки поберечь папу, он еще переживает разрыв моей помолвки с Юго.

Я просто хотела тебе сказать, что по дороге, в поезде, я думала о нас. Долго. И пришла к выводу, что мы с тобой – идеальная пара. Это обнадеживает, правда?

Пожалуйста, закрывай хорошенько краны, гаси свет и выключай газ (мне нравится это писать... мы как старые супруги!).

До завтра, мой король.

Виктория".

Он узнал в этих строчках Викторию и был счастлив, потому что они дышали любовью, хоть он ее и не помнил.

Потом он прочел много любовных записочек. Из тех, что женщина оставляет любимому утром, проснувшись, на тумбочке у кровати, на зеркале в ванной или в кармане его пиджака. Дальше шло письмо, датированное 1 ноября 2003 года.

"Жереми!

Ты не хочешь об этом говорить? Не хочешь меня выслушать? Тогда, надеюсь, ты прочтешь.

Как я пыталась сказать тебе вчера, когда ты вспылил, твоя мать позвонила мне на прошлой неделе. Она хотела со мной встретиться. Сначала я отказалась. Ты никогда не распространялся о своих родителях, но того немногого, что ты мне о них рассказал, хватило, чтобы отбить у меня охоту с ними знакомиться. И все же мне хотелось составить собственное мнение, поэтому я согласилась. *Не только, впрочем, по этой причине, но еще и потому, что твое отношение к родителям всегда казалось мне странным. Мы встретились в кафе "Ле Нео". Не мне тебе говорить, что это новое название бара, который твой отец держал тридцать лет.*

Твоя мать — милая женщина, застенчивая, неглупая. Ничего общего с ведьмой, которую ты мне описывал! Как такое славное, такое ласковое существо могло так плохо относиться к сыну?

Вот ее версия произошедшего.

Ты был прелестным мальчиком, заласканным и избалованным, несмотря на денежные трудности твоих родителей. Доход от бара был невелик. Приходилось открываться рано и закрываться поздно, чтобы прокормить и одеть маленького короля (да, уже!). Но вы были счастливы. До тех пор, пока не умерла твоя сестренка. Ты замкнулся в себе, меньше говорил, редко смеялся. Твоя мать боялась, что ты чувствуешь свою вину. Жизнь в доме выстроилась вокруг тебя. Ты вертел своей матерью как хотел. Ты знал, что она ни в чем не может тебе отказать, и пользовался этим. Подростком ты становился все более замкнутым. Почти нигде не бывал. Читал в своей комнате или уходил гулять один. Очень скоро она поняла, что ты влюблен. Как любая беспокойная мать, она

103

обыскала твои вещи и нашла стихи, очень пессимистические, в духе *по future*[1]. Когда ты решил уйти из дома и жить отдельно, твои родители испугались, что ты замкнешься окончательно. Полгода перед твоим поступком они видели, что с тобой происходит что-то странное. Ты ничего не ел, не работал, почти не спал. Они советовали тебе сходить к психологу, но ты отказался. В последний раз ты был у них за два дня до твоей суицидальной попытки. У тебя был потерянный взгляд, но говорить ты не хотел. Они умирали от беспокойства. Накануне твоего дня рождения мать позвонила тебе и предложила прийти завтра к ним задуть свечи на именинном пироге. Ты поблагодарил ее. Ей показалось, что настроение у тебя получше, повеселее. Ты сказал ей, что завтра великий день. Она решила, что ты имеешь в виду свое двадцатилетие...

Разумеется, узнав о твоем поступке, они были убиты. Когда они приехали в больницу, ты лежал без сознания. А когда пришел в себя, отказался их видеть. Они подумали, что тебе стыдно за то, что ты сделал, и к встрече с ними ты еще не готов.

Перед выпиской из больницы они снова навестили тебя. Ты не сказал ни слова. Я это

---

[1] Без будущего (*англ.*).

помню, я была рядом. Твоя мать обращалась к тебе, но ты оставался безразличным, отсутствующим. Тогда твой отец вспылил. Это был кошмар. Они ничего не понимали. Твоя мать целыми днями плакала.

Что было дальше, я знаю. Ты порвал с ними все отношения. Твой отец постепенно впал в депрессию. Он вбил себе в голову, что потерял сына и должен его оплакать. Твоей матери он запретил произносить в доме твое имя.

Вот тогда-то твоя мать и захотела встретиться со мной. Она думала, что я виновата в этой перемене. Я не стала излагать им твою версию. Как бы они ее поняли? Я сама не в состоянии. К чему все это, Жереми? В чем ты можешь упрекнуть твоих родителей? Я обнаружила в тебе эту пагубную жилку, которая иногда проявляется и делает тебя злым. Только злой человек может так обращаться со своими родителями!

Ты, конечно, как всегда, не захочешь об этом говорить. Но разве можем мы продолжать прятать голову в песок, скрывать эту твою сторону и делать вид, будто все хорошо? Я не могу.

Мне бы хотелось, чтобы сегодня вечером, когда я приду, мы об этом поговорили. Но ты волен поступать по твоему усмотрению.

Все-таки любящая тебя

Виктория".

105

Жереми с трудом дочитал письмо. Его глаза наполнились слезами. Как такое возможно? Неужели он и вправду такой негодяй?

Почему, просыпаясь и не помня части своего прошлого, он вновь становился порядочным человеком, любящим сыном и мужем? Какой парадокс! Он чувствовал себя нормальным, не будучи в норме.

На столе осталось последнее письмо. Он взял его с опаской. Что еще ему предстоит узнать? Выдержит ли он?

Письмо не было датировано. Почерк менее ровный. Некоторые слова нервно перечеркнуты.

"Жереми!

Я знаю, ты не любишь, когда я тебе пишу. Но я не могу иначе выразить мои чувства. Я не знаю, как быть, Жереми.

Потому что человек, которого я любила, больше не любит меня. Ты не любишь больше свою жизнь, свою семью, свой дом. Ты больше не счастлив со мной. Ты сохраняешь фасад, чтобы не обидеть меня или чтобы избежать сложностей. Ты ведь прячешься от действительности, когда она тебе не улыбается. Дома ты гаснешь. Ты всегда поглощен какими-то другими мыслями. Какими? Я уверена, что не о наших сыновьях и не обо мне.

Тома больше не разговаривает с тобой. Он отчаялся дождаться от тебя любви. Ты так мало бываешь с нами, все время в командировках, а если дома, то вымотанный и недоступный. Ты знаешь, что у Тома серьезные проблемы в школе? Он не хочет заниматься. А ведь он такой способный. Психолог сказал, что это он так нас наказывает. Тебя за твое отсутствие, меня за то, что я неспособна удержать тебя дома. Ты хоть знаешь, что раз в неделю он ходит к психологу? А Симон, ты замечаешь, как он растет? Тебя это интересует? И это не работа отняла у нас твою любовь. Ты просто пользуешься ею, чтобы бежать от нас. Нас тебе уже недостаточно. Кажется, наша семейная жизнь больше не доставляет тебе удовольствия, которого ты беспрестанно ищешь. Может быть, ты даже встретил другую женщину. Может быть, переживаешь с ней сейчас то, что мы пережили с тобой. Но не так важно, есть ли у тебя связь, важнее понять, как до этого дошло. Поначалу я винила себя в том, что наша любовь угасает. Но это не моя вина. Все дело в тебе. Твое выдуманное детство, твоя ложь, твои неуправляемые страхи, твои такие своевременные амнезии... Проблема в том, чего ты не хочешь видеть. Я ничего не смогу поделать, если ты не позволишь мне войти в этот другой мир, в который ты убегаешь.

107

И все-таки я уверена, что мы еще можем спасти наш брак.
Виктория".

Его испуганные глаза еще метались по письму, ища между слов и строк хоть какой-нибудь повод успокоиться. Сердце мучительно сжалось. Виктория, смысл его жизни, смысл его смерти, грозила уйти от него.

Вдруг он услышал глухой удар, а потом крик из кухни. Он среагировал не сразу. Но в кабинет вбежал перепуганный Тома:

— Чего ты сидишь? Иди скорее!

В его глазах был страх. И еще — ненависть. Жереми вскочил. В кухне на полу лежал Симон без сознания. Из руки текла кровь.

— Он поскользнулся и порезался о стекло. Ударился головой об пол. Сильно.

Голос Тома дрожал. Он смотрел на Жереми, ожидая слов утешения. Жереми склонился над Симоном. Мальчик упал на осколки стекла, которые он недавно смел в угол. Рука была порезана в нескольких местах. Он едва дышал.

— Он... он умер? — спросил Тома и всхлипнул.

Он стоял за спиной отца в ожидании его диагноза.

— Ничего страшного, — произнес Жереми успокаивающим тоном и легонько похлопал Симона по щекам.

Тот открыл глаза.

— Все хорошо, Симон. Все в порядке. Кровь идет, но ничего страшного. Сейчас вызовем "скорую помощь". Но сначала я тебя перевяжу.

Он обмотал рану тряпицей, не уверенный, что делает правильно.

— Папа, мне больно, — выдохнул Симон, испуганно глядя на него.

— Все будет хорошо.

Он взял Симона на руки и отнес его в гостиную. Тома следовал за ним как пришитый. Жереми уложил мальчика на диван и снял трубку телефона. Тома смотрел на него, сжимая руку братишки. Тот улыбнулся ему:

— Ничего страшного, Тома. Папа так сказал.

— Да, ничего страшного, — отозвался старший.

Жереми набрал 15, снедаемый беспокойством. Неизвестно, сколько крови потерял ребенок, и, хоть повязка замедлила кровотечение, на ткани проступали красные пятна.

— "Скорая помощь", у меня... мой сын, — сбивчиво объяснил Жереми ответившему профессиональному голосу. — Он порезал руку. Идет кровь. Я наложил жгут. Мой адрес?.. — Он запнулся. — Да, мадам, я не... я немного запаниковал... я... Мой адрес, да...

Не в состоянии ответить, Жереми чувствовал себя смешным и бессильным одновременно.

— Улица Реколле, девять, десятый округ, — холодно бросил Тома.

Жереми повторил адрес своей собеседнице и повесил трубку.

— Я... я забыл... Они приедут через несколько минут, — смущенно пробормотал Жереми.

— Папа, мне больно.

Личико Симона было теперь совсем белым. Темные кудряшки прилипли ко лбу от пота.

— Доктор сейчас приедет. Все будет хорошо.

— Надо позвонить маме, — сказал Тома.

— Да. Ты прав. Но не сейчас. Подождем до приезда врачей. Мы позвоним ей, когда будем знать больше.

Они сидели молча. Тома по-прежнему держал братишку за руку. Жереми гладил его лицо. Снова настоящее настигло его, грубо и яростно. Его с головой накрыли беда, страх, необходимость. А теперь еще и чувство вины.

"Я безответственный муж. Я безответственный отец. Я опасен для близких, когда у меня приступы. И я плохой отец, когда здоров".

От мрачных мыслей его отвлек приезд "скорой помощи". Под встревоженным взглядом Тома врач осмотрел Симона.

— Он потерял не очень много крови. Перерезана вена, возможно, затронуто сухожилие. Мы должны отвезти его в больницу, чтобы наложить швы. Вы поедете с ним?

— Да, конечно. Мы с Тома поедем.

— Куда мы поедем? — слабым голосом спросил Симон.

— В больницу. Мы с тобой.

— Я поеду на "скорой помощи"?

— Да.

— С сиреной?

— Если тебе так хочется, — ответил врач и подмигнул ему.

— Классно.

Операция закончилась. Врач успокоил Жереми. Тома сидел на банкетке, согнув колени и обхватив голову руками. Он держался подчеркнуто холодно и отстраненно.

Жереми сел рядом с ним.

"Я чувствую, что Тома меня не любит. Он судит меня, оценивает. Не похоже, однако,

111

чтобы он меня ненавидел. Ему нужен отец, и он еще надеется, что я сыграю свою роль. Но что я могу сделать? Сумею ли завоевать его доверие? А завтра — неужели я вновь стану тем отцом, которого он страшится?"

Тома поднял голову и вопросительно посмотрел на него.

— Все хорошо. Они наложили несколько швов.

— Ему было больно? — тихо спросил мальчик.

— Нет. Сейчас он спит.

Жереми взял Тома за руку и хотел привлечь к себе, но тот отпрянул — и разрыдался. Жереми обнял его за плечи, еще чувствуя слабое сопротивление. Он все же притянул его к себе, и Тома наконец поддался.

— Все хорошо. Ты настоящий мужчина. Я восхищаюсь твоим мужеством. Ты ведь испугался, правда?

Шмыгнув носом, Тома кивнул.

— И никак этого не показал. Чтобы не напугать его. Я горжусь тобой, сынок.

При этих словах Тома оторвал лицо от плеча отца и уставился на него озадаченно.

— Это правда, я действительно очень тобой горжусь.

Они сидели, прижавшись друг к другу.

"Я должен любить его, защищать, утешать. А ведь я чувствую себя совсем молодым, незрелым для такой ответственности!"

Раздался звонок. Тома подскочил. Он порылся в кармане и достал мобильный телефон.

— Это мама. Ты скажешь ей?

Жереми взял телефон.

— Виктория?

— Жереми? Где Тома? Я оставила ему свой телефон.

— Он рядом со мной.

— Вот как? Где вы?

— Ты только не волнуйся, но... мы в больнице.

— Как? Что случилось? — сорвалась она на крик.

— Симон. Он поранился.

— Поранился? Как это? Боже!

Виктория ударилась в панику.

— Виктория, успокойся. Все хорошо, уверяю тебя. С Симоном все в порядке. Рану зашили. Он отдыхает.

— Зашили... Да о чем ты говоришь? Что произошло?

— Он разбил стакан и упал на осколки. Сильно порезал руку, но ничего страшного, честное слово.

— Ты мне правду говоришь?

— Да. Разумеется. — Он помолчал. — Я виноват, Виктория...

— Оставь! Что говорят врачи?

— Я еще не знаю. Мы сейчас ждем того доктора, который им занимался. Не беспокойся.

— Как это мне не беспокоиться? Ты соображаешь? Я уехала всего несколько часов назад — и мой сын попал в больницу!

Теперь она размышляла вслух.

— Что я могу сделать? Я не могу приехать прямо сейчас. Я в трехстах километрах и без машины.

— Придумай что-нибудь. Симону ты наверняка нужна.

Он думал только о себе, говоря это, и тотчас почувствовал себя виноватым: разве можно так пользоваться ситуацией?

— Поезд только завтра. Я... я не знаю, что делать!

"Завтра? Но это слово теперь для меня ничего не значит! Я не увижу ее! Я снова ее потеряю".

Он хотел было умолять ее приехать, но тревога Виктории заставила его прикусить язык. Что она подумает о нем, если он станет скулить и жаловаться?

— Мой сын в больнице, а я здесь! Он будет звать меня! — простонала она.

— Нет, он будет спать. А если проснется, я скажу ему, что ты скоро приедешь.

Виктория помолчала. Жереми слышал ее вздохи. Может быть, она плакала?

— А Тома? — спросила она, овладев собой. — Как он реагировал?

— Он вел себя очень мужественно.

— Передай ему трубку.

Жереми протянул телефон сыну.

Он был счастлив, что поговорил с Викторией. И ужасно разочарован, что не сможет увидеть ее до завтра.

Держа трубку у уха, Тома посмотрел на отца.

— Знаешь, мама, папа не виноват. Это несчастный случай. Папа очень хорошо о нас заботился... Дать его тебе?

По раздосадованному взгляду Тома Жереми понял, что Виктория отказалась с ним говорить.

Тома отключился и, повернувшись к Жереми, пожал плечами в знак своего бессилия.

— Она приедет завтра, — обронил он как бы в утешение.

115

— Она сердится на меня, да?

Тома опустил глаза.

— Я плохо с ней себя вел в последнее время?

Мальчик не ответил.

— Я сейчас немного не в себе. Скажи, что ты об этом думаешь?

Ребенок наверняка должен был иметь свое мнение о сложившейся ситуации.

— Ты себя нехорошо ведешь, и... тебя все время нет.

— Я слишком много работаю?

Тома кивнул.

— Тебя все время нет. И мама говорит, что тебе до нее больше нет дела.

— Ты думаешь, это правда?

— Да, правда. И до нас тебе тоже нет дела.

— Ты сердишься на меня?

Мальчик опять кивнул.

— Знаешь, я постараюсь измениться. Обещаю тебе.

Едва у него вырвалось это обещание, как он о нем пожалел.

"Глупо давать ему надежду! Человек, которым я стал, похоже, только и делает, что сеет горе вокруг себя. Мои дети, жена, отец, мать..."

— Надо позвонить дедушке и бабушке, — сказал он Тома. — У тебя есть их номер?

По удивленному лицу сына Жереми понял, что неприятные новости еще не кончились.

— Ну что?

— Ничего... Сейчас позвоню, — ответил мальчик, не поднимая головы. — Бабуля? Это Тома... Я в больнице... Нет, нет, даю папу, он тебе все объяснит.

Он протянул телефон Жереми.

— Мама?

— Да... Что случилось? Несчастье?

Сердце Жереми сжалось, когда он услышал ее голос.

117

Он рассказал ей о случившемся и успокоил насчет Симона.

— Почему не Виктория мне позвонила? — спросила она более сурово.

— Ее здесь нет. Она у своих родителей.

— Она оставила на тебя детей? — переспросила мать саркастически.

— Мы немного поссорились, кажется...

— Тебе кажется?

— Но все уладится. А ты? Как ты поживаешь?

— Как я поживаю? Тебе есть до этого дело? Что это с тобой сегодня? Ты так испугался за сына? "Скорая помощь", больница, страх, скручивающий нутро... это травмирует, а?

— Правда...

— Такие страхи порой помогают вернуться к действительности. А действительность — это твои родители, которых ты забыл. Которым не давал о себе знать почти шесть лет. И вот сегодня ты мне звонишь, потому что ты один, растерян, потому что тебе страшно.

Жереми был убит. Невыносимо было слышать, как сурово говорит с ним мать.

— А Виктория приедет?

— Завтра.

— Скажи ей, чтобы мне позвонила.

— Мама, я хотел...

Но она уже повесила трубку. Сухой щелчок показался ему пощечиной.

Он закрыл глаза, готовый расплакаться, но тут к нему обратился сын:

— Она сердится?

Жереми, не в состоянии ответить, только пожал плечами.

— Мама говорит, что мы всегда осознаем свои ошибки, но часто предпочитаем скрывать их от самих себя.

— Да так, что даже забываем. Но я хотел бы выслушать твое мнение. Ты можешь все мне сказать.

Тома чуть поколебался и начал с сокрушенным видом:

118

— Ты никогда не ходишь к дедушке с бабушкой. Не хочешь говорить с ними по телефону. Когда мы идем к ним, тебя всегда нет. Бабушка иногда плачет, когда мы говорим о тебе. А дедушка сказал, что у него больше нет сына. Он убрал все твои фотографии. И не разрешает говорить о тебе при нем. Так что, если ты хочешь помириться, будет трудно. Но можно. Посмотри, вот мы с тобой... сегодня утром я тебя ненавидел, а теперь... теперь все-таки лучше.

Каждое слово, сказанное сыном от сердца, рвало ему душу, и он заплакал.

Тома обнял его своими маленькими ручонками и прижал к себе.

— Все будет хорошо, папа, все будет хорошо.

119

Когда вернулся хирург, они оба почти задремали. Он походил на врача из телесериалов: волевой взгляд, быстрый шаг, халат нараспашку, рукава засучены. Вся его повадка говорила о том, что он не может терять время зря. Настоящий врач, твердый и решительный с пациентами, властный с коллегами.

— Месье Делег?

Жереми встал.

— Все в порядке. Один порез был глубокий, но останется только маленький шрамик. Он полежит под наблюдением эту ночь. Где его мать? Он звал ее.

— Она приедет завтра. Но почему вы оставляете его в больнице?

— Из-за черепной травмы. Все-таки была потеря сознания.

Жереми опустил глаза и внимательно посмотрел на Тома. Он ожидал слов утешения для ребенка, но хирург молчал.

— Можно мы переночуем здесь с ним? — спросил мальчик.

— Это не разрешается.

— А увидеть его можно? — попросил Тома настойчивее.

— Да. Только ненадолго. Ему надо отдыхать, — бросил врач, уже убегая по коридору.

— Дурак! — фыркнул Тома, глядя ему вслед.

— Ты что? Так нельзя говорить! — одернул его Жереми.

— Я говорю, как ты. Ты иногда еще и похуже говоришь!

В палате Симон дремал. Он открыл глаза и улыбнулся им.

— Тома! Где ты был?

— Рядом, — ответил Жереми. — Ну, как тут мой сынок?

— Смотри, папа, какой скотч у меня на руке!

— Это не скотч, это повязка, — возразил Тома улыбаясь.

— Нет, это скотч!

Голосок у малыша был слабый. Ему хотелось поёгозить, поболтать, но его уже одолевал сон.

— Тебе больно? — спросил Тома.

— Нет, уже не больно. А где мама?

— Она скоро придет, — заверил Жереми, надеясь, что ребенок уснет, не успев обнаружить его ложь.

— А когда мы пойдем домой?

— Ты пока останешься здесь, до завтра, — ответил Жереми, взяв его за ручку.

— Один?

— Нет, мы подождем, пока ты уснешь, а когда проснешься, будем уже здесь.

— Обещаешь?

— Обещаю, — сказал Жереми и сжал руку в кулак.

Симон вопросительно взглянул на него.

— Смотри! Вот как делают настоящие друзья, когда клянутся в верности.

Он взял ручонку Симона, сжал пальцы и стукнул кулаком о его кулачок.

Симон улыбнулся. Тома придвинулся ближе и повторил жест. Они понимающе переглянулись.

121

— Мы теперь друзья, папа? — спросил Симон.

— Да, и даже больше чем друзья.

Жереми почувствовал, как в груди разлилось благодатное тепло. То была сила незримых уз, накрепко связавших его с сыновьями, соединивших, за гранью фактов и слов, их судьбы. Он нужен детям, чтобы они выросли. Они хотели найти свое место в душе отца, в его сердце. И Жереми знал, что теперь его жизнь не сводится только к отношениям с Викторией. У него есть семья. И он за нее в ответе.

Он рвал и метал при мысли, что не может быть уверен, будет ли нести эту ответственность в последующие дни, месяцы, годы.

Через несколько минут Симон уснул. Тома и Жереми еще посидели подле него на кровати. Потом глаза Тома закрылись, и он лег рядом с братом, сморенный сном после пережитых волнений. Жереми сидел и смотрел на них, спящих, безмятежных, неразлучных.

"Они мои. Это мои сыновья, и я их люблю. Но о какой любви речь? Помнится, я слышал как-то одного хасида, он говорил, что у человека есть три шанса возмужать. Сначала с помощью любви родителей. Если это ему не удается, жена дарит ему второй шанс расстаться с легкомыслием, эгоизмом, незрелостью. Если и тут неудача, то его последним шансом становятся дети. После этого... все, конец. Что же я сделал с моими тремя шансами? Что я сделал с любовью, которую мне дарили? Я неблагодарный сын, недостойный муж и плохой отец. Если мне не удастся что-то сделать сейчас, я пропал. Мне светит доживать свои дни в одиночестве, и мои близкие будут меня ненавидеть. И вот тогда я буду лелеять свою амнезию, которая позволит мне не думать обо всем, что я погубил. Надо действовать, стать тем, кем я был всегда, собой сегодняшним".

123

Зазвонил телефон. Жереми поспешно схватил трубку. Он покосился на детей — они по-прежнему крепко спали.

— Алло! Тома?

— Это Жереми.

— Что случилось? Почему у тебя такой голос? — встревожилась Виктория.

— Я говорю тихо, чтобы не разбудить детей.

— Вы дома?

— Нет, в больнице. Врач сказал, что Симон останется на ночь здесь, а Тома уснул.

— Ты же сказал мне, что ничего страшного! — испуганно перебила его Виктория.

Жереми пересказал ей разговор с врачом, и она успокоилась.

— Я хотела бы с ними поговорить, — сказала она.

— Знаешь, я по тебе скучаю.

— Да?

Ее ирония, за которой крылась боль, неприятно кольнула Жереми.

— Виктория, мне надо с тобой поговорить.

— Сейчас не время, Жереми.

Он поколебался. Она не поверит ему, как Пьер.

— Мне надо тебе сказать... у меня опять амнезия.

Она раздраженно выдохнула:

— Прошу тебя, Жереми!

— Да, я знаю, Пьер тоже послал меня подальше, когда я ему об этом сказал. Но у меня правда новый приступ. Кажется это уже третий. Я понял, что произошло между нами, со слов Пьера и из письма, которое нашел в столе. Меня тревожит не столько приступ амнезии, сколько то, что я узнаю о своем поведении. Во мне как будто живут два человека. Один — негодяй, который не заботится о жене и детях, не хочет видеть родителей, думает только о себе и своих удовольствиях... и другой, полная ему противоположность.

Но этот другой появляется только тогда, когда первый теряет память.

— Это все, до чего ты додумался, Жереми? Да, в тебе действительно два человека. Тот, которого я знала раньше, и другой, которого узнала недавно.

— Ты должна мне верить, Виктория! Прошу тебя! Я схожу с ума!

— Меня ты уже свел с ума. Я слишком часто верила твоим россказням.

— Я болен, понимаешь? Болен!

Жереми сорвался бы на крик, если бы не боялся разбудить детей.

— Не сомневаюсь, Жереми. Ты болен.

— Ты не хочешь меня слушать. И это все, что осталось от нашей любви?

— Не взывай к чувствам, Жереми. Я поняла одно: чтобы не свихнуться, мне лучше держаться от тебя подальше. Дети уже потеряли отца. Я хочу, чтобы у них осталась мать в здравом рассудке.

Голос ее стал суровым. Жереми, однако, чувствовал, что она борется с сомнением.

— Невероятно! Как мы могли дойти до такого? — простонал он. — Даже Тома понял, что я сегодня другой.

— Тома нужен отец. А я не уверена, что мне еще нужен муж.

— Ты мой последний шанс.

— Нет, — устало ответила она. — Я не хочу говорить об этом сейчас! Не по телефону! Не после всего, что произошло!

— Завтра будет поздно.

— Весь вопрос в том, не поздно ли уже. Скажи Тома, чтобы позвонил мне, когда проснется. До свидания, Жереми.

Жереми поцеловал Симона. Взял Тома на руки и направился к двери. В последний раз он держал на руках Тома грудным младенцем и сейчас испытал то же отрадное чувство обладания с примесью гордости и теплоты.

Тома открыл глаза, поднял голову и, моргая тяжелыми веками, посмотрел на отца. Тот поцеловал его в лоб:

— Мы едем домой.

Тома тотчас снова уснул.

Когда он вышел на улицу, ветерок ласково погладил его по лицу. Но прелесть майского вечера его не трогала.

Он подозвал такси.

Войдя в квартиру, Жереми уложил Тома в его кроватку. Он был лихорадочно возбужден. В такси его подстегивала одна мысль. Он не знал, верная ли она, но хотел попытать счастья.

В кабинете он быстро отыскал чековую книжку и бумажник, взял ключи и вышел. Он направился вверх по улице, туда, где светилась вывеска "Фото-видео". Когда он увидел ее из такси, его и осенило. Он вошел и направился к видеокамерам.

— Я могу вам помочь? — спросил продавец.

— Я хотел бы купить видеокамеру.

— Вам нужна определенная модель?

— Я возьму вот эту, — сказал он, указывая пальцем на аппарат. — Просто объясните мне, как она работает.

127

Тома спал беспробудным сном. Жереми позвонил в больницу, и сестра ответила ему, что и Симон спокойно спит. Потом он принялся устанавливать и настраивать видеокамеру. Это заняло время, и его одолела усталость.

Он сел в кресло. На экране видеомагнитофона появилось его лицо. Убедившись, что оно в кадре, он нажал на кнопку записи и начал:

— Виктория, эта кассета для тебя. Она, может быть, станет решением наших проблем. Я надеюсь на это от всего сердца. Я так боюсь потерять вас, всех троих.

Я хотел бы сначала рассказать всю историю так, как пережил ее я.

Я пытался покончить с собой восьмого мая две тысячи первого года. В день моего двадцатилетия. Из любви к тебе. Сегодня я нахожу этот жест глупым, хотя, как ни парадоксально, именно он привел тебя ко мне.

Восьмого мая две тысячи второго года, когда я открыл глаза, ты была рядом со мной. Чудесный сюрприз! Мне казалось, что я проснулся сразу после попытки самоубийства. Это было потрясение. Целый год жизни улетучился у меня из памяти. Такой важный год!

Вечером мы поехали в больницу. Когда ты ушла и я остался один в палате, меня сморила усталость. Тело отяжелело. Я думал, что засыпаю, но нет. Это была не усталость, а что-то другое. Я не мог шевельнуться, стало трудно дышать. А рядом со мной... Тебе нелегко будет мне поверить, но... там был человек, и он молился. Старик с седой бородой. Я испугался, очень испугался. Он казался таким нереальным и в то же время таким настоящим. Он читал кадиш, молитву об усопших, с силой и отчаянием.

Вспомнив старика, Жереми сбился и замолчал. Он знал, что очень скоро вновь пере-

живет эту сцену, и мысль эта его пугала. Он
отогнал ее и продолжал:

— Когда я снова проснулся, было восьмое
мая две тысячи четвертого. Два года улетучились! Рядом со мной был ребенок, и я не знал,
кто это. Можешь представить себе мое изум-
ление, мое смятение? Я и надеяться не мог
найти логичное объяснение моей больной
головой. Моя мать говорила, что добрая
стряпня не получается в худой кастрюле. Моя
мать...

Он печально улыбнулся.

— До чего ужасно узнать, как сильно я
обидел своих родителей! Я их бесконечно
люблю. Конечно, моя попытка самоубийства
не была доказательством любви, это правда.
Но мое поведение после этого глупого поступка — вот что самое невероятное. Я был
так жесток! Когда я увидел маму, то понял,
что она несчастна по моей вине... А папа, он
даже не пришел, он не хотел меня видеть...
Я думал, что, осознав все это, сумею иску-
пить свою вину, изменюсь, вновь завоюю их
любовь.

Голос его сорвался. Он глубоко вздохнул
и продолжал:

— Вечером я лег и открыл маленькую Псалтирь, которую ты мне подарила. Признаюсь, я

129

не понимал, почему должен радоваться этому подарку. Меня никогда не привлекала религия. Ты была в кухне. Чтение некоторых псалмов ошеломило меня. Даже более того. Они меня взбаламутили и вызвали дурноту, которую я не мог превозмочь. Снова у меня возникло это чувство, будто я соскальзываю в пропасть. И опять я услышал голос, читавший молитву, тихо, но с большой силой. Опять он, старик, истово молился, закрыв глаза, сопровождая каждое слово движением руки. Как он вошел? Я хотел позвать тебя, но не мог. Я запаниковал, понимая, что сейчас усну и оставлю тебя одну с этим безумным стариком.

Он с трудом закончил фразу. Голос его слабел.

— Вот видишь, опять накатывает эта дурнота. Дышать стало труднее, руки и ноги немеют. Я обливаюсь потом. Но я должен закончить.

Он сделал глубокий вдох.

— Когда я проснулся... было... сегодняшнее утро. Я ничего не помню об этих шести годах. Только сейчас я знакомлюсь с моей новой действительностью.

Из хороших новостей — я оказался отцом еще одного мальчика. Похоже, если я что и делаю хорошего, то только это.

Плохих же — целый список, который мог бы лечь в основу бразильского сериала: ты ушла от меня. Ты меня больше не любишь. Мой старший сын меня ненавидит. Мои родители от меня отреклись. Мой лучший друг потерял ко мне всякое уважение. И все это потому, что я веду себя как последний мерзавец с людьми, которых люблю. Что за извращение! И, верх цинизма, я, кажется, симулирую амнезию, когда мне это удобно!

Силы покидали его, и он стиснул зубы, пытаясь сосредоточиться. Он должен закончить! Он смотрел в объектив видеокамеры, и в глазах его была решимость.

131

— Виктория, ты должна мне поверить! Я не играю. Я не понимаю, что со мной происходит. Как бы то ни было, сделай то, о чем я тебя сейчас попрошу.

Я болен, Виктория. Другого объяснения нет. Что это — форма шизофрении или еще какое-то психическое расстройство? Я не знаю. Так вот, я прошу тебя поместить меня в психиатрическую больницу, и пусть меня лечат. Чтобы засвидетельствовать мою болезнь, у тебя есть эта кассета и письмо, которое я оставил на моем столе.

Завтра, если я снова стану тем, кто ломает мою жизнь, нашу жизнь, я наверняка откажусь ложиться в больницу. Тогда используй эти два вещественных доказательства против меня. Сделай это, умоляю тебя! Если ты не веришь больше в нашу любовь, сделай это для меня. Я не могу больше жить в этом кошмаре. И главное — не слушай, что я буду тебе говорить. Я лжец.

Тело Жереми бессильно сползло по спинке кресла. Наверно, он уже не был в кадре видеокамеры, но это было не важно. Он сказал все, что должен был сказать. Удовлетворение от этого встретилось с его страхом — и тот захлестнул его. Это был ужас, близкий к панике, не дававший дышать. Он умрет, снова умрет, опять увидит старика из своих кошмаров.

— Виктория... я сейчас усну... — еле выговорил он. — Видишь... я дал тебе доказательство... моей любви. Я делаю это для тебя... для детей... и для моих родителей тоже... Это безумец вас... обижал... не тот, кого вы... любили...

Он вздрогнул, повернул голову направо.

Его слова были теперь почти неразличимы.

— Я слышу его... Виктория... молитву... он здесь... передо мной.

Жереми плакал, как малый ребенок.

— Он... он здесь... Виктория... Мне страшно... Мне так страшно... Опять молитва об усопших... Почему?.. Почему?.. Что вы хотите? Что он хочет, Виктория? Я сошел с ума, Виктория... сошел с ума... Я... люблю тебя...

Глава 5

Квартира была маленькая. Крошечная комнатка, просто обставленная, с кухонным уголком. Голые белые стены. Жереми удивили невообразимый беспорядок и грязь. Сощурившись, он различил предметы одежды, валявшиеся рядом с ним на кровати и даже на полу, остатки пиццы, грязные стаканы, пустые бутылки и банки из-под пива на журнальном столике и на ковре, затушенные окурки в картонных тарелках... На душе стало тягостно. Это чувство не объясняли ни теснота комнаты, ни кавардак. Он просто понял, что это совсем новое утро, новая ситуация, новые проблемы. Он хотел было снова уснуть, бежать в сон от этой действительности, как вдруг, в смеси тошнотворных запахов еды и табачного дыма, различил аромат женских духов, сильный и очень пряный. Из-под простыни выглядывал краешек кружев. При виде черного лифчика Жереми вздрогнул. Он сел на край кровати, закрыл лицо руками и застонал.

"Это не мой дом. Со мной в этой постели спала женщина, и это не Виктория. Это не ее духи, ее запах запечатлен в моей душе".

Ему хотелось завыть, но он сдержался. Опыт у него уже был. Он знал, что не может позволить себе терять голову. Надо было просто встретить этот новый день, терпеливо и безропотно.

"Я представлю себе, будто вижу сон. Сон, над которым я не властен. Я приму каждое событие спокойно, склонюсь перед всеми прихотями истории, отдамся на волю волн. Может быть, меня ждут приятные сюрпризы?" Он посмотрел на свою левую руку и вздохнул с облегчением, убедившись, что обручальное кольцо все еще на ней.

"Поместила ли она меня в лечебницу? Если и так, это ничего не дало. Где она? Что происходит с нами?"

Он вспомнил Тома, Симона, больницу. Сколько же лет его последним воспоминаниям?

135

Жереми встал, открыл платяной шкаф. Там были несколько костюмов, десяток рубашек, две пары обуви. Внизу стояли картонные коробки. Он собирался осмотреть их содержимое, но вздрогнул, услышав за спиной женский голос.

— Что ты там ищешь?

Он обернулся — на него смотрела Клотильда, улыбающаяся, розовощекая. Она только что вошла и держала в руках багет и пакет с булочками.

Он не ответил, застыв от неожиданности.

— Что ты так на меня смотришь? Я тебя напугала? Ты как мальчишка, которого поймали с поличным, когда он рылся в отцовских карманах!

Она рассмеялась и прошла в кухоньку.

— Я приготовлю завтрак, пока ты изучаешь свои трофеи. Успеха тебе, смотри, упаковано все на совесть...

Жереми так и сидел на корточках оцепенев.

"Нет! Не может быть! Только не это! Только не она!"

Он с трудом поднялся и сел на кровать. Клотильда вернулась в комнату.

— Я поставила кофе. Потом приберу здесь немного. Вечеринка удалась на славу, а?

Он не ответил, колеблясь между печалью и испугом.

— Ну ладно. Я вижу, ты еще не совсем очухался. А как насчет массажа?

Она подошла и пристроилась за его спиной на кровати. Подтолкнув его, уложила на живот.

— Ну же, расслабься. Вот так. Какой ты напряженный!

Жереми не противился. На это не было ни воли, ни сил. Он чувствовал себя куклой-паяцем в гротескном представлении.

Она уселась верхом на его ягодицы и пробежалась руками по спине.

137

— Больше всех вчера набрался Бруно. Он такое нес! Мне, честно говоря, было не смешно. Шуточки мачо-переростка. У него проблемы с либидо, уверяю тебя. И он думал, что затащит Сильвию в постель, с его-то дурным юмором и дыханием алкоголика? Она его быстренько отшила! Она изо всех сил старалась подцепить красавчика Шарля. Но он же у нас сменил ориентацию, и женщины его больше не интересуют. Знаешь, я думала, что парень, которого вдруг потянуло на мужчин после двадцати лет вполне активной гетеросексуальности, он ведь раньше был тот еще ходок, станет как минимум бисексуалом. Как бы не так! Он теперь любит только мужчин. Тебе приятно? Эй, мог бы хоть мне ответить!

Жереми не слушал Клотильду. Он лежал, ошарашенный, и не мог встать. Ему хотелось, чтобы она замолчала и куда-нибудь исчезла.

Клотильда легла на него сверху.

— Давай сделаю боди-боди? Может быть, это восстановит твой... потенциал. Я не намерена удовольствоваться вчерашним фиаско!

Она поцеловала его затылок, потом спину.

Эти поцелуи переполнили чашу терпения Жереми. Он резко повернулся, и Клотильда скатилась с него.

— Вставай и убирайся! — рявкнул он, садясь.

Ее глаза округлились.

— Ты шутишь? Что с тобой? — спросила она, явно не зная, удивиться ей или разозлиться.

— Уходи отсюда!

— Да что с тобой? Ты спятил? Это потому, что я сказала о твоей вчерашней неудаче? Я же пошутила... ты был пьян, вот и все... я тебя достаточно хорошо знаю, чтобы...

— Уходи!

Клотильда испуганно отпрянула. Потом, разъяренная этим унижением, вскочила и встала перед ним.

— Да что ты о себе возомнил? — выкрикнула она со злостью. — Думаешь, напугал меня?

Думаешь, можешь со мной играть? Я тебе не твои шлюшки, которых ты снимаешь в барах за бабки, чтобы сваливать, едва ты щелкнешь пальцами.

Жереми ничего не ответил. Эта сцена его больше не касалась. Клотильда приняла его молчание за знак слабости.

— Ты мне противен. Придурок! — с презрением бросила она. — Я ухожу. Твоя жена права. Ты сумасшедший! Да, ты жалкий недоумок! И не вздумай звонить мне с извинениями. На этот раз я не вернусь!

Она вышла, хлопнув дверью.

139

Жереми бессильно обмяк на кровати.

"Я изменяю Виктории. С женой Пьера. Я все потерял. Все потерял. Я не переменился. Мой план не сработал. Я не вылечился. Я болен. Я сумасшедший! Сумасшедший!"

Эти последние слова он выкрикнул вслух и, схватив стоявшие на столе стаканы, яростно швырнул их в стену.

— Я сумасшедший, сумасшедший, — зарыдал он и рухнул на кровать.

Он услышал шипение кофеварки и почувствовал запах подгоревшего кофе. На него накатил тот же голод, который он испытывал в прошлые свои пробуждения. Но эта физиологическая потребность показалась ему ничего не значащей в сравнении с его драмой.

Вскоре лукавая мысль заставила его горько улыбнуться.

"Я несчастлив. Но, в конце концов, я ведь несчастлив лишь несколько часов время от времени, когда сознаю свою болезнь. В остальное время я счастливый человек. Негодяй, плохой муж, недостойный отец, но человек, живущий, как ему нравится. Почему бы не удовлетвориться этим? Всего лишь подождать: закончится этот день, и я вернусь к своей разгульной жизни".

Нет, он не мог с этим смириться. Он должен был знать. Непонимание было пыткой. Кое-какие мысли уже зашевелились в голове.

Жереми направился к шкафу и продолжил свои поиски. В одной из коробок он нашел документы. Прочел на картонной папке слово "Развод", и сердце у него упало.

Он открыл ее и увидел письмо адвоката, датированное 4 января 2012 года.

"Если сознание опять вернулось ко мне восьмого мая, то с моего последнего приступа прошло не меньше двух лет", — сказал он себе, отыскивая информацию среди юридических формулировок.

"Месье Жереми Делег ушел из семьи больше полугода назад. С тех пор он ни разу не связывался ни с детьми, ни с супругой...

Месье Делег передал своей супруге сумму в десять тысяч евро только после того, как та обратилась в суд...

Месье Делег прошел длительный курс лечения в психиатрической больнице Сент-Анн в Париже. Он был помещен в лечебное учреждение по собственной просьбе (см. документы 3 и 4), в связи с серьезными расстройствами. Заключение врача, наблюдавшего его в течение шести месяцев, является красноречивым свидетельством. В нем говорится, что месье Делег страдает редкой психической патологией, проявляющейся в раздвоении личности...

Лечащий врач указывает также, что месье Делег обладает незаурядным умом, которым пользуется, чтобы манипулировать окружающими...

Месье Делег выписался из больницы 2 октября 2010-го со значительным улучшением и при условии продолжения лечения амбулаторно...

Его супруга, оказывавшая ему всестороннюю поддержку на протяжении лечения, приняла его с радостью...

141

Через две недели месье Делег прекратил прием медикаментов и вернулся к своим прежним привычкам: ночной образ жизни, злоупотребление алкоголем, словесная невоздержанность..."

Далее в письме подробно излагалась процедура развода; истицей выступала Виктория.

Жереми был буквально уничтожен. Его кошмар принял трагический оборот.

Их любовь закончилась. Виктория бросила его. Один лишь позитивный элемент он извлек из чтения: она поверила его рассказу и пыталась бороться вместе с ним против его недуга. Но у нее, видно, опустились руки, и теперь она боролась против него самого.

"Она лечила меня. Надеялась, что я переменюсь. Она еще любила меня тогда. Какое жестокое разочарование это было для нее, когда я вновь скатился в безумие! Она наверняка страдала. А дети! Они должны меня ненавидеть!"

Вдруг в дверь постучали. Его первым побуждением было пойти открыть, но, уже взявшись за ручку, он заколебался. Что еще его ждет?

Смирившись с неизбежностью, он все же открыл.

За дверью, прислонясь к косяку, переводил дыхание молодой человек. На нем были линялые джинсы, футболка с надписью "be mine"[1] и серебристые кроссовки. Волосы длинные, каштановые, со следами давнего обесцвечивания. Он направился к кровати и опустился на нее. Лег, раскинул руки и уставился в потолок.

Жереми так и стоял неподвижно у открытой двери.

— Да закрой же ты дверь! Долго будешь тут торчать?

Жереми послушно закрыл дверь и остался стоять, прислонившись спиной к косяку.

Молодой человек еще тяжело дышал.

— Черт! Никогда не догадаешься, что со мной приключилось! За мной гнались легавые. Им, верняк кто-то стукнул!

Он приподнялся на локте, чтобы удобнее было рассказывать.

— Прикинь. Выхожу я из дома, весь из себя в порядке и все такое. Ну, я говорю "в порядке", а вообще-то малость опухший: вчера-то оторвались на вечеринке. И сразу просекаю: что-то не так. Шестое чувство. Смотрю и вижу — на другой стороне улицы два мужика

143

---

[1] Будь моей / моим (*англ.*).

в тачке! Они еще не поняли, идиоты, что двое в тачке — это сразу наводит на мысли? Ну, думаю, Марко, это по твою душу. Но в панику не ударяюсь, иду себе как ни в чем не бывало, а сам кумекаю, как бы смыться.

Он в возбуждении вскочил и принялся изображать сцену в лицах.

— Черт, при мне-то товара на пятьдесят кусков, прикинь! Ну, думаю, времени терять нельзя, эти двое тут не для того, чтобы документы у меня проверить. Повяжут меня как пить дать. Говорю тебе, кто-то стукнул. Слышу, тронулись они за моей спиной. Вот он, думаю, мой шанс. Они на машине, а я пешком. Понимаешь, парень? Мы ж на Монмартре! Усек? Попробуй-ка проехать на тачке по этим улочкам! Они, верно, думали, что я пойду себе спокойненько, а они за мной, пока я не встречусь с человечком. Мечта легавого, ага! А я свернул направо — и вниз по спуску Сакре-Кёр. Двести тридцать семь ступенек! А они на тачке! Спустился я и нырнул в маленькую улочку, которую хорошо знаю. Они, наверно, к этому времени только выбирались из тачки. Придурки!

Он истерически расхохотался и посмотрел на Жереми, качая головой, в ожидании его реакции.

— Ну что? Ничего не скажешь? Не беспокойся, времени уже много прошло. Никто за мной не шел, я уверен.

Он снова сел на кровать, и лицо его стало серьезным.

— Ну так вот, я хотел попросить тебя об одной вещи. Только тебя и могу об этом попросить. Ты не подведешь. Ты ведь друг, верно? И потом, ты меня не напаришь. Ради бабок не станешь пачкаться, их у тебя, похоже, и так полно!

Он не поднимал глаз, ожидая слов ободрения, чтобы продолжать. Жереми не мог больше тупо молчать. Но не мог он и признаться, что ничего не понимает и вообще не знает его.

Он решил поддержать игру молодого человека. Там будет видно.

— И чего ты от меня ждешь? — невозмутимо поинтересовался он.

— Как чего, не могу же я идти домой с товаром. Если меня с ним загребут, мне каюк. Ну вот... я хотел оставить его тебе. И пойду домой. Если они там, возьмут меня тепленьким. Могут и прижать, чтобы я заговорил. Между тюрягой и людьми Стако, скажу тебе честно, я выберу тюрягу! И потом, если я не расколюсь и при мне ничего не найдут, от-

145

пустят меня через сорок восемь часов, никуда не денутся. Я передам Стако, чтобы прислал к тебе своего человечка за товаром.

— А почему я должен делать это для тебя?

Марко как будто удивился:

— Почему? Потому что ты мой друг. Потому что я оказывал тебе услуги, когда ты лежал в психушке. Я думал, это само собой разумеется.

Жереми не мог опомниться. Он якшается с подонками общества! Он их друг, более того — сообщник.

По спине его пробежал холодок, и захотелось рассмеяться. Этот смех, дай он ему волю, наверно, превратился бы в рыдание.

— Ладно! Идет. Оставь мне... товар, — выдохнул он.

— Ты настоящий мужик, Жем. Ты классный.

Жереми улыбнулся, услышав уменьшительное имя. Оно было под стать открывшейся ему жизни. Такое же ничтожное и смешное.

Молодой наркоделец запустил руки под футболку и извлек два пакетика белого порошка.

— Можешь попробовать, товар что надо. Только не зарывайся, не вздумай извести половину или устроить вечеринку за мой счет, ага? Или потом сам расплатишься со Стако, — добавил он, с жадностью глядя на свой товар. — Твою мать, тут же на пятьдесят кусков! — Он резко выпрямился. — Ладно, я сваливаю.

И, поднявшись, он протянул пакетики Жереми:

— Заныкай их. Чтоб не валялись. А то у тебя тут столько народу толчется. Завтра тебе позвонят. Парень от Стако. Ах да, чтобы ты был уверен, что это тот самый, он спросит, знаешь ли ты результат матча "Олимпик Лионэ"–"Пари-Сен-Жермен", — добавил он с истерическим смешком. — Я балдею. Прямо дурное кино про братков.

Когда за молодым человеком закрылась дверь, Жереми почувствовал себя чудовищно одиноким: его невероятная история разыгрывалась без него, но он был ее жертвой.

Безумию он мог противопоставить лишь ту часть своего рассудка, которая как будто еще функционировала. Он знал, что балансирует в шатком равновесии на провисших нитях своего разума. У него было мало времени. Несколько часов. Всего несколько часов в здравом уме, чтобы разрешить несколько лет безумия. Он не мог смириться с утратой Виктории и детей — он должен был дать бой.

Должен был привести в порядок свои мысли. Пересмотреть свою историю и найти в ней зацепки. На него снизошло наитие, в руках была путеводная нить, следуя которой он или найдет себя, или потеряет.

Жереми был теперь на улице перед домом. Он вспомнил адрес, который подсказал ему Тома в тот день, когда Симон поранился.

Он несколько раз прошелся взад-вперед, прежде чем решился позвонить в домофон.

Несмотря на металлический звук, он понял, что ответил ему голос не Виктории, а женщины постарше.

— Я хотел бы поговорить с Викторией.

Прошло несколько секунд, в течение которых его собеседница, казалось, размышляла.

— Ее нет.

— Мне надо с ней связаться. Где она?

— Не знаю. До свидания.

— Подождите!

Связь прервалась.

Жереми пожалел, что у него нет ключей от квартиры. Виктория наверняка добилась, чтобы он отдал их ей.

Он достал мобильный телефон, который нашел в комнате, и просмотрел занесенные в память имена. За исключением Клотильды и Пьера, все были ему незнакомы. Наконец он нашел номер мобильного Виктории.

На пятом гудке включился автоответчик. Он смешался, услышав беззаботный голос Виктории и вспомнив свои прошлые пробуждения, такие близкие, когда они были счастливы.

Он глубоко вздохнул, силясь успокоиться, чтобы оставить внятное и убедительное сообщение.

— Виктория, это Жереми. Я звоню тебе, потому что ты единственная можешь понять, что я должен сказать. У меня очередной приступ. Один из приступов, что позволяют мне осознать мерзости, которые я натворил. Я знаю, ты еще можешь мне поверить. Как в прошлый раз, когда ты послушалась моего совета и поместила меня в больницу. Я знаю, что из этого ничего не вышло, что я бросил лечение. Я прочел письма твоего адвоката. Я не знаю, что осталось сегодня от твоих чувств и от твоего желания мне помочь. Я просто хочу объяснения. Хочу знать, что в точности произошло на следующий день после моей записи. И еще хочу получить назад кассету. Прости, если я тебя обижал. Позвони мне. Или приходи. Просто поговорить. Я в кафе напротив нашей квартиры. Твоей квартиры. Я буду ждать. Не бросай меня.

Он знал, что Виктория подаст ему знак, что она его не оставит, что сумеет провести черту между негодяем, заставившим ее страдать, и тем, кем он был и кого она любила. Она поймет, что оба они — жертвы одного и того же человека.

Он вошел в маленький бар с облупившимся фасадом и сел лицом к улице. Размышляя, он сумел вычленить несколько внятных фрагментов в этом хаосе образов и слов. Может быть, он был на неверном пути, но пройти по нему стоило. Хотя бы ради того, чтобы не терять надежды.

Он заказал кофе. Хозяин обслужил его, бросив "Вот, месье Делег" довольно агрессивно. По всей видимости, он не принадлежал к числу любимых клиентов.

Жереми огляделся. Жизнь шла своим чередом, безразличная к его драме. Старик и старушка сидели молча, видно, ломая голову, чем занять этот новый день. Светловолосая студентка обожглась кофе и тихонько ругнулась. Замечтавшаяся девушка рассеянно разглядывала блики на столешнице, улыбаясь, наверное, каким-то нежным воспоминаниям. Мужчина у стойки осматривался с глуповато-жизнерадостным выражением лица в надежде завязать разговор с другим клиентом. Женщина неопрятного вида уставилась на стакан белого вина. Менеджер в хорошо сидящем костюме был поглощен чтением спортивной газеты.

Он чувствовал себя невидимым и тоскующим наблюдателем жизни, к которой больше не принадлежал.

Он все еще не знал, в каком году проснулся. Хоть пользы от этой информации не было никакой, он поддался любопытству и, заметив сегодняшние газеты на деревянной стойке, встал, чтобы взять одну.

151

8 мая 2012 года. Он зафиксировал дату без особых эмоций, потом пробежал глазами статьи. Решительно, это больше не был его мир.

Два часа спустя перед баром затормозило такси. Шофер вошел и спросил хозяина:

— Есть здесь месье Делег?

Тот кивком указал на столик Жереми.

— Вы месье Делег? — подошел к нему шофер. — Вот, у меня для вас пакет.

Жереми так и вцепился в него. Она одна знала, что он здесь!

— Откуда вы?! Кто вас послал?! Где вы взяли этот пакет?! — лихорадочно выкрикивал он.

— Это не ко мне, — с недоверием ответил шофер. — Мое дело доставить, и все. Если отправитель не указан на пакете, так не мне его называть.

— Скажите, откуда вы приехали! — выкрикнул Жереми, вскочив.

— Эй, эй, полегче! Не в таком тоне!

Жереми сразу пожалел, что вспылил. Он с усилием разжал зубы, расслабился и понизил голос:

— Извините меня. Дело в том, что речь идет о моей жене и детях, и... Мы поссорились... Я хотел повидаться с ней, поговорить...

Шофер такси смягчился:

— Ладно, но что поделаешь, на станции мне так и сказали, мол, ничего не говори. По просьбе клиентки, правила есть правила. Я не стану рисковать местом из-за ссоры голубков. Всего хорошего!

Жереми хотел было встать, последовать за ним, продолжить расспросы. Ему надо было просто увидеть ее, хотя бы издалека. Но скрепя сердце он решил считаться с выбором Виктории.

Он поспешно вскрыл пакет. Там были письмо и кассета, та самая, которую он записал два года назад.

"Жереми.

Это письмо я пишу тому, кого любила и потеряла. Может быть, тебе, Жереми. Если у тебя сегодня день просветления, ты меня поймешь. В противном случае эти слова покажутся тебе смешными. Да, ты, наверное, посмеешься надо мной, над моими предосторожностями, над моим страхом.

Я не хочу говорить с тобой, не хочу тебя видеть. Это слишком тяжело, Жереми. Знаешь, даже писать это письмо – нелегкое испытание. Кому я пишу? Что я должна сказать? Что рассказать тебе? Должна ли я открыться? Как ты перечитаешь это письмо завтра? Используешь ли его в процедуре развода? С тебя станется выдать меня за сумасшедшую. Так что, видишь, я пишу это письмо на компьютере и не стану его подписывать. Я вынуждена все просчитывать на ход или два вперед, не для того, чтобы бороться с тобой, потому что ты все равно сильнее меня, но чтобы защититься.

Я не могу продолжать так жить. Не могу мириться с твоей психической неуравновешенностью. Тебе, наверное, тяжело это читать. Ведь сегодня ты ничего не знаешь о том, что с нами случилось. Ты помнишь только счастливые дни, те отдельные дни рождения. Ты даже не знаешь своих детей.

153

*Моей последней истинной надеждой была
эта кассета, Жереми. Посмотрев ее и прочитав твое письмо, я испытала ужас от миссии,
которую ты мне поручил, и счастье оттого,
что человек, которого я любила, еще существует
где-то за дьявольской маской.*

*Так вот, на следующий день после твоей
записи я начала хлопотать о помещении тебя
в больницу. Ты решительно воспротивился.
Ты не помнил ни этой кассеты, ни письма.
Мне пришлось через суд госпитализировать
тебя против твоей воли. Врачи проводили
с тобой много времени. Твой случай не укладывался ни в одну клиническую модель. И все же
я снова начала верить в твое выздоровление,
в возможность нового счастья. Ты лечился
и вновь становился разумным, вниматель-
ным, любящим. Тогда я дала согласие на то,
чтобы ты продолжал курс лечения дома, как
ты просил. Врачи тоже считали, что тебе
это пойдет на пользу. Ты вернулся домой, и мы
надеялись на лучшее, и я, и дети. Надо было
видеть, как они висли на тебе, улыбающиеся,
внимательные к малейшей твоей просьбе.
Особенно Симон – Тома, хоть и с любопытством, все же держался настороже. Мы опять
стали семьей. А потом все началось сызнова.
Мало-помалу – до ада. Этот ад был еще ужас-*

нее прежнего, потому что его пламя лизало наши едва зарубцевавшиеся ожоги. Я поняла, что ты играл с нами гнусную комедию. Твоими улыбками, твоими ласковыми словами, поведением ответственного мужа и отца ты просто выигрывал время, отсрочку, чтобы построить свою жизнь без нас. Какой жалкий и жестокий фарс! Все стало еще хуже, чем прежде. Дошло до того, что я боялась тебя, дрожала, услышав твой голос. Я боялась отца моих детей! И мои дети тоже его боялись. "Он принял свои лекарства? Каких еще небылиц он нам наплетет? Вернется ли он сегодня ночью? Будет ли кричать?" Жереми, ты потерялся в изломах твоего мозга. Ты умный и неуравновешенный одновременно. Решительный и подверженный страхам. Несдержанный и молчаливый. Случалось, ты поднимал на меня руку при детях. Никогда бы не подумала, что мы дойдем до такого.

Поэтому сегодня, если я обращаюсь к Жереми в здравом рассудке, у меня есть к тебе просьба, трудная, но необходимая. Не приближайся ко мне больше. Ты болен. Лечись как хочешь, но меня исключи из своей жизни. Ради блага твоих детей. Извини меня, Жереми, я вынуждена думать только о них. Я должна их защитить. Я все сделала, чтобы помочь тебе

155

выбраться из твоего кошмара, но мне это не удалось. Больше пытаться я не хочу. У меня не осталось сил".

Он направлялся к магазину, в котором два года назад купил видеокамеру. Огненный шар перекатывался в желудке. В баре он прочитал письмо несколько раз. Он понимал Викторию, не осуждал ее. Она написала ему и послала кассету, и это уже был шаг навстречу. Ее послание говорило само за себя: если ты действительно тот, за кого себя выдаешь, так придумай что-нибудь, попытайся выбраться.

"Я измучил их! Я поднимал руку на Викторию при детях! Я сделал их несчастными! Это надо прекратить. Я должен понять, снова стать хозяином своей жизни".

Жереми вошел в магазин. Продавец при виде его вздрогнул.

— Вы меня узнаете?

Продавец за прилавком отпрянул, словно желая увернуться от удара.

— Да... да... конечно. Вы понимаете, я не сделал ничего плохого. Меня попросили написать письмо, засвидетельствовать, что именно вы купили видеокамеру и кассету. Я просто рассказал правду. Я не знал, для чего это нужно. Уверяю вас.

— Да. Вы правильно сделали. Я...

— Я правильно сделал? — вытаращил глаза продавец. — Правильно сделал? Вы мне совсем другое говорили, когда приходили в прошлый раз!

— Мне надо посмотреть эту кассету сейчас, — перебил Жереми так резко, что продавец снова напрягся.

— Идемте со мной. У нас есть просмотровая кабина.

В тесной кабинке он был один. Продавец включил магнитофон и тактично прикрыл дверь.

Увидев свое изображение на экране, Жереми нашел себя постаревшим, усталым. "Каким же я стал сегодня, прибавив два года?"

Начало его рассказа было ясным. Очень эмоциональным, но внятным. Потом Жереми на экране начал задыхаться. Он словно наяву ощутил эту муку и поймал себя на том, что сглатывает и глубоко дышит, как бы желая помочь своему изображению. Наверняка сегодня вечером появятся те же симптомы.

Потом наступил момент, которого он ждал.

Он внимательно всматривался в экран, в смятении от вида своего лица, искаженного страхом. Страхом осязаемым, мучительным. На экране он дрожал, глаза были полны слез, судорожные всхлипы мешались с прерывистым дыханием, выталкивая из горла высокие, порой даже пронзительные звуки.

"Я слышу его... Виктория... молитву... он здесь... передо мной..."

Ничего не было. Однако он был уверен, что старик там, рядом с ним. Но на экране он его не слышал и не видел.

"Что подумала Виктория? Я говорю ей о старике, которого не существует. А ведь она мне поверила. Она, наверно, плакала, страдала за того, кого любила и кто оказался больным, одержимым галлюцинациями".

Его путь был тупиковым. Он наивно надеялся, что старик с его печальной молитвой записался на кассете. Но на экране он видел теперь только спящего человека.

До этого он пытался извлечь из своей истории какие-то очевидные зацепки, чтобы выйти на верный путь. Красную нить, которую он мог бы размотать и добраться до сути своего кошмара. И он нашел одну. Это было скорее наитие, чем логический факт, но на ней сосредоточилась вся его воля. Ничего из того, что он увидел, не подтверждало его идеи.

Он уже собирался вынуть кассету, как вдруг увидел, что его голова на экране медленно перекатилась набок. Это могло быть просто движение во сне. Но через несколько секунд голова перекатилась на другую сторону. Потом снова. Еще раз и еще, быстрее. Движение стало ритмичным. И тут Жереми услышал тихий голос. Он прибавил звук, но слов не разобрал, лишь глухое бормотание. Его голова на экране моталась из стороны в сторону, лицо исказила гримаса. Жуткая гримаса! Она выражала страдание. Жестокое страдание. Бормотание стало громче, но было все таким же невнятным. В лице не осталось ничего человеческого. И вдруг изо рта вырвался крик: "Нет! Боже мой, нет!" Мучительный, страшный крик; он не узнал своего голоса. Потом лицо его обмякло.

159

Жереми сидел, будто загипнотизированный увиденным. Это был его крик, и он ощутил то страдание. Конкретного воспоминания о нем у него не было, но эта боль отозвалась в нем. Он не увидел ничего значимого. Это мог быть просто кошмар больного человека. И все же теперь он был убежден, что его догадка верна.

В кабинку с раздраженным видом заглянул продавец:

— Это вы так кричали? В магазине, знаете ли, покупатели! Вы закончили?

Жереми встал и вышел, не сказав ни слова, чем немало озадачил продавца.

Он остановился на тротуаре, наблюдая за кипевшей вокруг в этот предвечерний час жизнью.

Куда пойти? С чего начать? Ему нужно было подумать, требовалась передышка. Он направился в кафе.

Хозяин покачал головой, явно ему не обрадовавшись.

— Что вам подать? — спросил он.

— Воды с мятным сиропом.

Хозяин бара помедлил, потом, вздохнув, удалился.

— Не купимся. Это тот еще типчик.

За столиком справа на него печально смотрела женщина. У нее были обесцвеченные волосы, темные глаза под полуопущенными веками; полные приоткрытые губы обнажали пожелтевшие от табака зубы. Она и сейчас держала сигарету в подрагивающих пальцах, поднося ее ко рту, глубоко затягивалась и нервно выдыхала дым.

Все в ней выражало отрешенность, как будто она давно бросила бороться с разочарованиями, с возрастом. Жереми улыбнулся ей.

— Вы кого-то ждете? — спросила она.

Он не нашелся что ответить.

— Я тут видела, как вы получили пакет, как читали письмо. Плакали. Нечасто мне случалось видеть, как плачут мужчины. Меня они заставляли плакать. Раньше. Когда я их еще интересовала.

Ей было около сорока, но выглядела она лет на десять старше.

— Это от моей жены. Она не хочет со мной говорить, не хочет меня видеть, — услышал свой ответ Жереми.

— А! Что же это за женщина? Из тех, что заставляют мужчин плакать? Вы так ее любите?

Не дожидаясь ответа, она продолжала:

— Да, вы ее любите, а она отвергает вашу любовь. Вот дура-то! Если бы она знала, какое это счастье, когда тебя так любят! Это она прислала вам тот пакет?

— Да.

— Я слышала, как вы ругались с таксистом, чтобы он дал вам адрес отправителя. Зря вы на него наехали. Только разозлили.

Она посмотрела на него, хмуря брови и нервно затягиваясь сигаретой.

— Вы бы хотели заполучить этот адрес?

Жереми взглянул на нее с надеждой:

— Что вы собираетесь сделать?

— Есть у меня мыслишка.

— А... почему вы...

— Почему? Сама не знаю. Может, чтобы поучаствовать в любовной истории, хоть она и не моя. Именно потому, что не моя. Или, проще, чтобы вы угостили меня бокалом шампанского. Сил моих больше нет напиваться кислятиной.

— Согласен.

— Ладно, я ничего не обещаю. Дайте мне ваш телефон.

Жереми повиновался.

— Такси стояло перед баром, а у меня очень хорошая зрительная память, — сказала она, набирая номер. — Да и вообще, номера такси легко запомнить. Как зовут вашу жену?

— Виктория. Виктория Делег. — Подумав пару секунд, он добавил: — Или Виктория Казан.

Женщина удивленно подняла голову.

— Ну, я не знаю, назвала она мою фамилию или свою девичью, — объяснил Жереми.

— Вот, дозвонилась.

Женщина откашлялась.

— Здравствуйте, это мадам Делег-Казан, — начала она на диво уверенно. — Я звонила несколько часов назад, чтобы послать пакет в "Бистро Вер", улица Арман-Каррель, двенадцать, в девятнадцатом округе. Да, его получили, все в порядке. Но мне нужно послать еще один пакет туда же. Можете прислать мне машину? Прекрасно. Да, постойте! Когда шофер приехал за пакетом, он остановился за несколько домов от меня. Мне пришлось выйти и звать его. Вы можете проверить адрес? Как вы говорите? Улица Менильмонтан, двадцать шесть, двадцатый округ? Да, адрес тот самый. Наверно, шофер перепутал.

Она подмигнула Жереми, медленно повторив адрес, и продолжала:

— Прекрасно. Когда вы сможете заехать? Через полчаса? Нет, это слишком поздно. Ну ладно. Я, возможно, позвоню вам завтра с другим поручением. Спасибо. До свидания.

— Спасибо! — от души поблагодарил Жереми. — Большое спасибо! Вы просто гениальны!

— Мне всегда хорошо удавались такие вещи, — кивнула она.

— Как мне вас отблагодарить?

— Бокал шампанского. Такой был уговор.

Жереми встал и протянул ей руку:

— Вы как добрая фея, из тех, что появляются в сказках, когда все из рук вон плохо.

Она рассмеялась:

— Я похожа на фею?

Это был обычный небольшой городской дом, расположенный в тихом жилом квартале, где

лишь изредка нарушали спокойствие про-
езжавшие автомобили. На почтовом ящике
было написано "П. и М. Казан". Стало быть,
Виктория нашла убежище у своих родителей.
С бешено колотящимся сердцем Жереми подошел к двери. Он хотел проверить адрес,
оставаясь незамеченным. Надо было считаться с желанием Виктории, и, хоть велико
было искушение позвонить, он удержался.

Заметив, что из скверика напротив дома
открывается вид на большие окна, он направился туда и нашел кусты, представлявшие
собой идеальный наблюдательный пункт.
Он хотел только увидеть жену и детей. К его
несказанному облегчению, скверик был пуст.

Окна второго этажа были открыты, но
снизу Жереми не мог видеть, что там происходит. На первом этаже окна были закрыты,
и мелькавшие за ними тени невозможно было
различить.

После двадцати минут ожидания им овла-
дело отчаяние. Он зря терял время. Ему надо
было продолжать "следствие", зайти как
можно дальше в своих поисках до наступле-
ния ночи. Но после каждого движения за ок-
нами хотелось остаться еще хоть ненадолго.

После часа бесплодного наблюдения
Жереми все же решился уйти. Сглотнув ком

в горле, он уже собрался выйти из-за кустов, но тут услышал, как скрипнула калитка. Он поднял голову и увидел маленького мальчика, который качался, повиснув на створке. Это был Симон. Жереми едва успел отскочить обратно в свое укрытие, как вслед за Симоном появились Тома и Виктория. Сердце его так и подпрыгнуло. Он едва не поддался панике, но взял себя в руки. Что скажет Виктория, если обнаружит, что он прячется за кустами, как беглый преступник? Не будет больше разницы между хорошим и плохим Жереми, если вообще она еще способна ее провести. Жереми съежился, глядя, как идет по аллее Виктория. Он был неприятно поражен, увидев, до чего она изменилась. Ее тело выглядело донельзя хрупким и некрасиво тонуло в джинсах и свободном свитере. Она скрестила руки на груди и сутулилась, словно защищаясь от ледяного ветра. Щеки запали, лицо осунулось и было бледным, слишком бледным. В глазах, обведенных темными кругами, застыла печаль. Губы, прежде такие восхитительные, были поджаты в нервной усмешке. Волосы зачесаны назад и стянуты резинкой. Это была внешность депрессивной женщины, махнувшей на себя рукой, не помышляющей больше о радостях и всецело со-

165

средоточенной на материнстве — последней нити, связующей ее с жизнью.

"Боже мой, вот результат моей жестокости. Это из-за меня она так печальна. Даже ее красота поблекла. Как я мог сделать ее такой несчастной?"

Виктория не спускала глаз с Симона, который бегал за мячиком. Он подрос. Личико его мало изменилось, но в нем уже не осталось ничего младенческого и проступали черты будущего юноши.

Тома степенно шел рядом с матерью. У него был серьезный вид рано повзрослевшего ребенка. Волосы отросли, и светлые кудряшки обрамляли лицо, еще более жесткое и волевое, чем в памяти Жереми. Они были теперь совсем близко от него.

Он рассматривал каждую деталь этой сцены затаив дыхание, силясь унять дрожь во всем теле.

Поравнявшись с ним, Тома взял мать за руку:

— Иди сюда, мама, давай сядем.

Они сели на скамейку, стоявшую как раз перед кустами.

Точно испуганный ребенок, Жереми зажмурился, чтобы раствориться во мраке. Он слышал их приближающиеся шаги, шорох их одежды, дыхание. Когда наконец он открыл глаза, они уже сидели спиной к нему, так близко, что он мог бы коснуться их, протянув руку.

Виктория сидела понурясь, по-прежнему скрестив руки на груди.

— Не убегай далеко, — окликнул Тома Симона.

— Иди поиграй с ним, — сказала Виктория. — Со мной все хорошо, уверяю тебя.

— Я пойду... потом, — ответил Тома. — Почему ты сегодня плакала? Это он?

— Да... Он оставил мне сообщение.

— Я не хочу, чтобы он возвращался.

— Не беспокойся. Он не вернется.

— Ты уже много раз так говорила. А потом все равно ему веришь.

— Я добилась постановления суда, чтобы он не приближался больше к дому, так что не беспокойся. А теперь иди поиграй с братом.

Виктория осталась одна. Жереми смотрел на ее затылок, на волосы, на хрупкие плечи. Он физически ощущал ее близость, еще сильнее, чем если бы мог ее потрогать. Он медленно втянул воздух, пытаясь различить ее духи. И тут услышал сдавленные рыдания. Она плакала тихо, чтобы не привлечь внимания Тома.

167

Она была так близко от него и такая несчастная. Он едва не встал, чтобы обнять ее и утешить. Раздался звонок. Виктория сунула руку в карман и, достав мобильный телефон, откашлялась, прогоняя рыдания.

— Алло, — сказала она голосом маленькой девочки. — Нет, все хорошо. Нет, он больше не звонил. Я послала ему то, что он просил, и еще письмо. Да, я знаю, что ты мне скажешь. Может быть, ты и прав. Но, знаешь, я сама схожу с ума. Какая ирония, правда? Нет, не беспокойся, больше я не буду рисковать. Я решила, что если это правда, то пусть лучше он будет несчастлив в свои редкие часы просветления, чем я и дети всю нашу жизнь.

Подошел Тома и вопросительно посмотрел на мать.

— Это Пьер, родной. Иди играй с братом.

Мальчик убежал.

— Тома хотел знать, кто звонит. Он не отходит от меня, милый малыш. Так за меня беспокоится. Представляешь, в его возрасте такие переживания. Он старается успокоить меня, а сам панически боится. Сегодня ночью проснулся с криком: ему приснился кошмар. И он продолжает писаться по ночам. Психолог сказал, что надо стараться держать его как можно дальше от проблем, но при этом говорить ему правду. Все эти выходки — потрясение для него. Симон? Нет, Симон — другое дело. Он ничего не говорит. Как будто ничего этого нет. Он живет в своем мире. Но я знаю, что ему очень грустно. Думаю, он просто не хочет добавлять мне горя. Тоже бережет меня на свой лад. Боже мой, сегодня все так трудно! Каждый раз я думаю, что не смогу. Извини, я все о себе. А ты, как у тебя с Клотильдой?

Она внимательно слушала кивая.

— Вернулась только сегодня днем? Где же она была? Господи, Пьер, ты должен потребовать у нее объяснений! Ты не можешь давать ей волю только потому, что боишься ее потерять. Что с нами сталось, Пьер? Мы были счастливы еще так недавно.

Пьер что-то говорил, а Виктория слушала его, глядя на играющих сыновей. Потом она отключилась, сунула телефон в карман и снова съежилась.

Только теперь Жереми осознал, в какую пучину горя он вверг свою жену и детей. Он был в ужасе. Вот она перед ним, отчаявшаяся, усталая, на пределе. Он — чудовище.

— Тома, Симон, идемте домой, становится прохладно.

Виктория встала и смотрела, как бегут к ней сыновья.

Они ушли. Жереми проводил взглядом их силуэты, тающие в мягком свете майского вечера.

Уже почти стемнело, когда он решился наконец выбраться из своего укрытия, ошеломленный, изнемогая от боли.

Надо было действовать. Времени осталось немного.

Жереми был недалеко от синагоги на улице Паве. С затуманенной от слез головой он шел, ничего не слыша и не видя.

170

Перед молитвенным домом он стряхнул с себя оцепенение. Голос в домофоне поинтересовался, кто он.

— Меня зовут Жереми Делег. Я хотел бы повидаться с раввином.

— Вам назначено, месье?

— Нет, но дело важное, очень важное, — твердо ответил он.

— Вам надо записаться. Я его помощник и могу предложить вам встречу... на той неделе, если это действительно срочно.

— Я не могу. Сегодня вечером я буду... я уеду. Прошло две или три секунды.

— Вы член нашей общины?

— Нет. Мой отец иногда посещал эту синагогу, давно, но я... Мне надо видеть раввина.

— Это невозможно, месье. По правилам безопасности нам запрещено пускать к нему в неприемные часы.

— Плевать мне на правила безопасности! — заорал Жереми. — Вы должны помогать людям в беде!

Он заколотил в дверь кулаками:

— Откройте! Откройте!

— Месье... пожалуйста, подождите несколько минут, мы вами займемся.

Жереми присел на корточки и прислонился спиной к крепкой двери. Он тяжело дышал.

171

Через пару минут кто-то окликнул его. Он и не слышал, как к нему подошли.

— Встать, лицом к стене.

Он поднял глаза, но луч света ослепил его. Он приложил руку ко лбу, чтобы разглядеть, кто к нему обращается.

— Не бузите. Вставайте медленно.

Он увидел фуражку. Потом еще одну, позади. И машину с выключенными фарами, стоявшую прямо перед ним.

— Чего вам надо? — спросил Жереми полицейского, который направлял ему в лицо фонарь, держа другую руку на рукояти револьвера.

— Я прошу вас встать, спокойно, без сопротивления.

— Я ничего не сделал. Я только хотел видеть раввина. Мне нужно с ним поговорить.

— Раввина нет. Поговорите с нами.

Он едва успел встать, как четыре руки схватили его, повернули, прижали к двери, заломили руки назад и надели наручники.

До него донесся другой голос, помягче:

— Не обижайте его! Наверно, просто отчаявшийся бедолага.

Жереми увидел совсем рядом лицо молодого хасида. У него была жидкая бородка, а большие темные глаза за очками в серебряной оправе, казалось, просили прощения.

— Мне очень жаль, месье. Таковы правила безопасности. На раввина недавно напали. Я прослежу, чтобы с вами хорошо обращались. У них нет причин вас обижать. И если они скажут мне, что все... в порядке, я запишу вас на прием к раввину на той неделе.

— Это будет слишком поздно, — жалобно простонал Жереми. — Слишком поздно.

Он был в кабинете, один, в наручниках. Полицейские допрашивали его без особого рвения и быстро удовлетворились его объяснением.

— Мы с женой расстались. Я сорвался. Я хотел повидаться с раввином, чтобы он мне помог.

— А почему вам так приперло? — спросил инспектор.

— Потому что завтра я... уезжаю.

Он не выглядел сумасшедшим на свободе, но вполне походил на брошенного, преданного мужчину. Так что полицейские быстро отбросили версию об антисемитском акте и ушли проверять какую-то информацию.

Он уже чувствовал, как усталость сковывает все тело, и тут одна мысль осенила его. Эта мысль показалась ему гениальной, хоть и пугающей.

"Готово. Сейчас я усну, и все начнется сызнова. Но на этот раз я не допущу, чтобы темная часть меня вредила близким". Его начала бить дрожь; он перечислил про себя предстоящие симптомы, один за другим, пытаясь предупредить их. Не дать застичь себя врасплох. Не так бояться. Он встретит седобородого старика без страха. Но сначала он должен осуществить свою идею. Ту, что обезопасит его жену и детей от его злобных выходок и отомстит за него этому другому ему.

Он позвал изо всех сил.

В кабинет вбежал инспектор.

— Чего ты так орешь?

— Мне надо сделать признание.

— Признание? Какое еще признание?

173

Вид у инспектора был удивленный и слегка рассерженный. Он уже собирался уйти домой, когда Жереми его позвал!

— Я торгую кокаином. В моей квартире вы найдете целый склад.

Инспектор ошеломленно уставился на этого такого покорного человека, с улыбкой взявшего на себя вину за правонарушение, в котором никто его не подозревал.

Да, Жереми улыбался. Он даже смеялся про себя, довольный западней, расставленной своей темной стороне. Его жена и дети наконец будут от него избавлены.

Инспектор задавал ему вопросы. Жереми не отвечал. Успокоившись, он поддался накатившей усталости; ему не терпелось поскорее со всем покончить, пусть тот, другой, займет его место и угодит прямо в расставленную им западню.

Пусть придет старик, молитвы, муки и забвение!

Он ждал их, улыбаясь.

Глава 6

Солнечные лучи проникали сквозь решетку слухового окошка и таяли в неоновом свете. Со стальной кровати напротив, такой же, как его, смотрел на него незнакомый человек с подносом на коленях, медленно жуя кусок хлеба. Взгляд был холодный и тяжелый. Внушительная мускулатура говорила о животной силе, способной сработать в любой момент: зверь, готовый броситься на жертву. Широкое лицо, казалось, было вырублено топором.

— Что ты так на меня смотришь? — спросил сосед хриплым, тягучим голосом.

Жереми не ответил. Эту проблему он не предусмотрел, когда так быстро разработал свой план-озарение, приведший его сюда.

Удовлетворение, которое он испытал, когда проснулся, сменилось теперь чувством уныния.

— Я к тебе обращаюсь! — рявкнул сосед.

Жереми, несмотря на угрожающий тон, был по-прежнему погружен в свои последние мысли. Те же, что и при предыдущих пробуждениях: в каком он году? Что он сделал? Что сталось с Викторией и детьми? Какой кошмарный сценарий ждет его на этот раз?

Только место — впервые — не удивило его.

Сосед вдруг встал, и Жереми подумал, что он сейчас бросится на него. Но он направился к двери и поставил свой поднос на прибитый к ней столик.

— О черт. Отвали! Чудной ты все-таки. Верно говорят, что ты недоумок. Все у тебя не как у людей. Посмотри на свой поднос! Мы тут с голоду подыхаем, готовы убить друг друга за кусок хлеба с маслом, а ты к жратве и не притронулся. Дрыхнешь, как в отпуске на Лазурном Берегу, да еще и улыбаешься во сне, придурок.

Жереми сел, посмотрел на свой завтрак и почувствовал, как и в прошлые разы, острый голод. Он встал, нетвердым шагом подошел к умывальнику, ополоснул лицо и руки. Поискал зеркало, но не нашел и вернулся к подносу. Сосед лежал на своей кровати, закинув руки за голову, и смотрел на него с безразличным видом. Кофе остыл, но Жереми выпил его с удовольствием. Он съел два кусочка хлеба, слишком тоненьких, чтобы утолить его голод. Он жевал и обдумывал ситуацию. Как продолжить "следствие" теперь, когда он заперт в этой камере? В его распоряжении всего несколько часов. Нет, он не думал, что так скоро сможет окончательно прояснить для себя эту историю, но в нем теплилась надежда найти хоть какое-то зерно истины, которое позволило бы ему наконец сделать первые шаги к выздоровлению, оправдать свое поведение в глазах Виктории и, может быть, может быть...

Он чувствовал себя как смертник, за которым пришли: обреченный перед мощью машины, готовящейся его убить, вопреки здравому смыслу надеялся, что в последний момент его спасет какое-то чудо. У него было еще несколько нитей в руках, несколько ходов, которые надо сделать. И он должен был найти способ заняться этим здесь.

— Ну что, какие планы? — спросил сосед.

Жереми почти забыл о нем. Что он мог ему ответить? Надо было потянуть время, пусть тот сам скажет, чего ждет.

— А ты как думаешь? — решился он.

— Как я думаю? Как я думаю? С каких пор ты спрашиваешь моего мнения? — отозвался сосед, приподнявшись на локте. — Известно, кто тут у нас думает! Но уж если хочешь знать мое мнение, с ним надо кончать.

В голосе соседа звучала решимость. Жереми моргнул. Смысл этих слов пока не укладывался у него в голове. Надо было вытянуть из него еще информацию.

— И как ты себе это мыслишь?

— Как я себе это мыслю? — повторил сосед, удивившись вопросу. — Ты хочешь проверить, хорошо ли я вызубрил урок? Ну так пойдем в спортзал, там его и прикончим, но чтобы типа несчастный случай. Я исхитрюсь уронить на него стопятидесятикилограммовую гирьку, прямо на шею. Тюк — и каюк! — прыснул он и посмотрел на Жереми, проверяя, оценил ли тот его юмор.

Застигнутый врасплох и напуганный до жути словами сокамерника Жереми деланно рассмеялся. Этот тип явно не переносил ни малейших признаков недружелюбия.

"В тюрьме и сообщник убийцы! Что за безумие! Этот человек — сумасшедший. Но, к счастью, он меня, похоже, уважает и даже побаивается. Единственная хорошая новость. Это значит, что другой Жереми здесь в авторитете. По крайней мере, в этой камере. Да, потому что в этой тюрьме у него есть враги, и одного он даже хочет убить. Невероятно!"

— Послушай, я не знаю, — рискнул Жереми. — Может быть, лучше по-другому. Я что-то сомневаюсь.

Сосед, подскочив, сел на кровати с угрожающим видом. Жереми поразился, на какую кошачью гибкость способна эта гора мышц и жира.

— Что? Как это ты не знаешь? Хочешь дождаться, чтобы он тебя отправил на тот свет? Ведь так оно и будет, парень! Тебя взяли с товаром его семьи, если ты забыл! И там было на бешеные бабки. Да еще ты отмутузил брата Стако. Ты сомневаешься? Они-то не сомневаются, парень. Они тебя прикончат как пить дать. Так чего ты хвост поджал? Мать твою, я тебя уважаю, потому что ты самый крутой и самый деловой из всех придурков, которые попались и гниют в этой тюряге. Ты уж меня не разочаруй!

Он вскочил и расхаживал взад-вперед по камере, сжав кулаки, играя мышцами, не сводя глаз с Жереми. В гневе он был страшен. Жереми восхитился умом своего двойника,

179

сумевшего заключить союз со столь внуши-
тельной фигурой. Он также понял, что в его
интересах вести себя, как тот, кем его здесь
считали.

Не вставая, он взглянул прямо в глаза со-
седу и стиснул зубы, стараясь, чтобы голос
прозвучал как можно жестче.

— Сбавь-ка тон! Никто же не отказыва-
ется! Мы его прикончим, падлу! Вот только я
не знаю, стоит ли это делать сегодня и таким
образом! Мне надо подумать, может быть,
есть другие варианты.

180

Жереми сам себе удивился. Неотложность
дела и опасность заставили его пуститься
в настоящую ролевую игру.

— Например? — поинтересовался великан
более покладисто.

— Я еще не знаю, говорю же, надо подумать.

— Ага... — протянул сосед подозрительно.

— Ты сомневаешься во мне? — спросил
Жереми.

Тон был уверенный, угроза недвусмыс-
ленна.

— Нет... В общем... Ты же сам сказал мне
вчера.

— Что?

— Что-что, ты сказал, мол, в твой день рождения ты можешь быть странным, чтобы я за тобой присматривал и...

Сосед умолк и уставился на Жереми так, словно впервые увидел его в этой камере.

— Почему это ты не помнишь, что говорил мне вчера?

Мысль Жереми заработала быстро. Тот смотрел на него, ожидая внятного ответа.

Его сокамерник только что сообщил ему информацию, требовавшую немедленной обработки. Другой Жереми прикрыл тылы, поручив этому мастодонту присматривать за его рассудком. Он поведал ему, что замышляет убийство, и предостерег против того, кем он мог стать в день своего рождения. Это было стратегически верно и в то же время тактически ошибочно, потому что сосед соображал довольно туго.

— Хорошо. Хорошо. Отлично. Я вижу, ты усвоил все, что я тебе говорил о моих приступах в день рождения. Я могу на тебя положиться. Но в этом году обошлось. Будь у меня приступ, ты бы это сразу увидел.

Сосед что-то буркнул. Пока того, что он понял, хватило, чтобы его успокоить. Жереми надо было воспользоваться полученным преимуществом. Он знал, что разыгрывает трудную партию.

— Ладно, так вот что я хотел сказать. Я слышал, что в спортзале на этих днях ожидаются гости. Охрана планирует десант, будет искать заначки дури. Не хотелось бы, чтобы они нагрянули, как раз когда...

— Ты-то откуда это знаешь? Ты же никогда не выходишь из камеры!

Жереми был вынужден продвигаться дальше по полю, заминированному его двойником.

— А ты сам не понял откуда?

— Вертухаи? Это верно, у вертухаев ты любимчик. Ну и какой же у тебя план?

— Подождем. Посмотрим, как дело повернется, обмозгуем другие варианты на всякий случай. Действовать будем потом.

— Ага... Но знаешь, ты рискуешь. Они с тебя глаз не спускают. И они-то ждать не станут.

— Ничего, я рискну.

— Какие все-таки у тебя планы?

— Я тебе потом скажу. Мне надо еще подумать.

— Ну, думай пока. Мне сейчас на работу. Но надо будет потолковать, когда я вернусь.

Жереми вздохнул с облегчением: на время он будет избавлен от грозного соседства. Он наконец останется один, не будет вынужден импровизировать роль, требующую всего его внимания. И сможет подумать о главном.

Когда сосед покинул камеру, Жереми встал, глубоко вздохнул и принялся мерить шагами тесное пространство. Что он мог сделать сейчас? Как продвинуться в своих поисках?

В расставленную им западню попала и лучшая его часть, но он не мог об этом сожалеть. Он изолировал худшую, подарив передышку Виктории и детям. Так он думал свои невеселые думы, глядя в белые стены камеры, как вдруг дверь открылась, и вошел высокий, худой надзиратель. На бледном изможденном лице глубоко запавшие темные глаза и черные усики выглядели маской мертвеца.

— Ну что, Жереми, как дела сегодня?

— Хорошо.

— Видел, как сыграл вчера Париж? Пропустил два гола от Марселя, да еще на своем поле! Позорище!

Жереми в ответ лишь неопределенно дернул головой — это движение можно было истолковать как угодно.

Какие у него отношения с этим надзирателем? Может быть, удастся обратить в свою пользу явную симпатию, которую тот ему выказывает?

— Оставить тебе "Экип"?[1]

Жереми взял газету и кинул быстрый взгляд на дату. 8 мая 2018 года! Шесть лет! Уже шесть лет он здесь! Он запретил себе переживать по этому поводу. Надо по возможности сохранять спокойствие, чтобы думать и действовать.

Тут у него возникла идея.

— Можно тебя кое о чем попросить?

Подражая собеседнику, Жереми спонтанно перешел на "ты". Надзиратель как будто не возражал.

— Только ключи не проси...

Он добродушно рассмеялся, но осекся, увидев серьезное лицо Жереми.

— Я хотел бы знать, есть ли здесь... раввин... Ну, еврейский священник.

— Раввин? С каких это пор ты вспомнил о Боге? Ты серьезно? — спросил надзиратель с кривой улыбкой.

— Да.

— Черт, ну ты даешь. Ты такой непредсказуемый. Зачем тебе священник? Только не говори мне, что хочешь покаяться или еще какую-нибудь чушь в этом роде.

184

[1] "Экип" – французская ежедневная спортивная газета.

— Мне просто надо задать ему пару вопросов.

— Ммм... Ладно, раз тебе так приспичило. Чудной ты! Еврейский священник... Есть такой. Он будет здесь в пятницу утром. Я запишу тебя завтра.

— Завтра? Нет, мне надо видеть его сегодня, — взвился Жереми.

— Эй, Жереми, спокойнее! Ты, может, здесь и в авторитете, но есть правила, распорядок...

— Неужели никак нельзя его позвать? — продолжал Жереми более дружелюбным тоном.

— Нет. Никак.

Жереми пришел в отчаяние. Ему надо было повидаться с раввином сегодня до вечера.

— А какой-нибудь другой раввин? Нельзя пригласить другого раввина сегодня?

— Ты не записан в график посещений. Ты вообще туда никогда не записывался.

— Можешь меня записать?

Что он теряет, задав вопрос?

— Конечно, — ответил надзиратель. — Но... Честно говоря, я не понимаю. Черт возьми, да что с тобой? Ты всегда отказывался встречаться со священником, а теперь не можешь день потерпеть? Странный ты, Жереми. Очень странный.

— В этом и вся моя прелесть, — ответил Жереми со смехом, который надзиратель поспешил подхватить.

Завоевав его расположение, Жереми сделал следующий ход:

— Я бы хотел, чтобы ты позвонил одному раввину, которого я знаю, и попросил его прийти.

— Что? Ты шутишь? Может, мне еще на машине за ним съездить? Ты, Жереми, не зарывайся! Я тебе не слуга! С нашим... уговором я и так тебя щажу, как могу.

Жереми пошел в контратаку:

— Приносишь мне "Экип"? И это вся твоя помощь? Сейчас я прошу тебя о настоящей услуге.

Надзиратель в замешательстве с минуту подумал.

— Ладно, номер у тебя есть? — вздохнул он, уступая.

— Нет. Позвони в синагогу на улице Паве в четвертом округе и спроси секретаря раввина. Я не знаю, как его зовут. Скажи, что я тот человек, что приходил к нему... восьмого мая две тысячи двенадцатого, тот, кого забрала полиция. Скажи ему, что я хочу повидаться с ним сегодня, что мне надо с ним поговорить и это очень срочно.

Раввина, возможно, не было на месте. Но Жереми должен был попытаться, следуя своей интуиции. Разыграть последнюю карту.

— Информации у тебя негусто. Ладно, посмотрю, что я смогу сделать. Если не дам тебе знать, значит, ничего не вышло.

Когда надзиратель ушел, Жереми снова принялся мерить шагами камеру.

"Тридцать семь лет! Мне тридцать семь лет", — повторял он, убеждая себя.

Он провел пальцем по щекам, по контуру глаз, и ему показалось, что кожа стала тоньше. Потом он ощупал свой торс, приподнял майку и обнаружил незнакомые прежде формы: намечающееся брюшко, жирок на бедрах. Впервые он осознал, что постарел. А ведь казалось, ему было двадцать всего несколько дней назад.

187

Он открыл шкафчик у кровати, и ему хватило считаных секунд, чтобы изучить его скудное содержимое. Немного одежды, жидкое мыло, пара ботинок, два спортивных журнала. Он искал связи с внешним миром, с прошлым, с настоящим. Ему уже стали привычны эти "раскопки" в поисках утраченного смысла.

В кармане куртки, висевшей на дверце, он нашел три письма. Последнее было датировано 12 марта 2017 года. Он с досадой отметил, что все они не от Виктории, но по зрелом размышлении порадовался этому: его план сработал, и она изолирована от него ради ее блага. Все три письма были от Клотильды. Клотильда, которую он не знал, Клотильда, которую он не любил. Клотильда, подруга Виктории. Клотильда, жена его лучшего друга. Его любовница.

"Жереми!

188

Я приняла решение написать тебе после долгих размышлений о последних событиях. Как ты себя вел в твой день рождения... Я всерьез обиделась. Это был не ты, во всяком случае, не тот, кого я знаю и люблю. Я это поняла, когда мне сказали, что ты признался в хранении наркотиков. Зачем ты это сделал? Как попали к тебе эти наркотики? Пьер, тот не так удивился, узнав о твоем аресте. Он думает, что ты "скатился по наклонной плоскости". Он все еще тоскует о потерянном друге, которым ты был.

Он очень заботится о Виктории. Она сейчас в полной растерянности. Твое заключение потрясло ее. Она говорит, что в тот злополучный день 8 мая 2012 года с ней пытался связаться тот Жереми, которого она любила. Что он

*дал показания на себя, чтобы помочь ей осво-
бодиться. Все это действительно странно.
Я люблю человека, которого она ненавидит.
Она любит того, который страдает амнезией
и внезапными приступами совести. Выходит,
что чистый и честный человек появляется
на несколько часов раз в десятилетие из-под
своей порочной личины. А вот для меня ты болен, когда изображаешь безумно влюбленного,
способного оговорить себя!*

189

*Я не знаю, что ты собираешься сказать
на суде. Пьер говорит, что тебе будет трудно
сослаться на безумие. Когда тебя помещали
в больницу, ты возражал и привел немало сви-
детельств в доказательство твоей психической
нормальности. Виктория использует их против тебя.*

*Занятный это будет суд, на котором каждая
сторона станет отстаивать позицию, прямо
противоположную той, что занимала в процедуре помещения в больницу.*

Ты знаешь, что можешь на меня положиться.

Я думаю о тебе.

Клотильда".

На этом письме стояла дата: 3 июня
2012 года. Следующее было написано два года
спустя.

"Жереми!

Ты наверняка разозлишься, получив мое письмо. Не важно, мне было необходимо тебе написать. Не понимать, почему ты отказываешься от всякого общения со мной, – настоящая пытка.

Когда я узнала о твоем приговоре, это меня подкосило. В свете заключения психиатров твоего ума на сей раз оказалось недостаточно, наоборот, он вызвал раздражение прокурора: тот понял, что он представляет собой грозное оружие, позволяющее тебе играть с твоим окружением. Кто-кто, а я не стану возражать по этому пункту. Он думает, что твои спонтанные признания были сделаны с целью сесть в тюрьму, чтобы избежать разборки, после чего ты намеревался выйти на свободу с помощью твоего психиатрического досье.

Пьер говорит, что твоя кассационная жалоба не имеет никаких шансов на успех. Я надеюсь, ты знаешь, что делаешь.

Я не ушла от Пьера. Еще нет. Я не могу, пока я так несчастна. Ты подумаешь, что это эгоизм, даже макиавеллизм, и будешь прав. У меня не хватает духу остаться совсем одной. Так что контракт прежний: мое присутствие за его комфорт.

Пьер по-прежнему заботится о Виктории. Я же с ней теперь почти не вижусь. Избегаю ее под предлогом ревности. Это правда: я уже не уверена, что в дружбе, которую питает Пьер к Виктории, сочувствия больше, чем любви. Ей теперь гораздо лучше. Она вышла из депрессии и снова работает. Месяц назад она приходила к нам обедать с детьми. Они очень любят Пьера и даже зовут его дядей. Лично я категорически запретила называть меня "тетя Клотильда"! Как бы то ни было, мне кажется, они меня недолюбливают.

Тома очень замкнутый. Он играет в маленького мужчину, опекает мать и брата. Очень вырос и все больше походит на Викторию. Симон поживее, у него веселый характер. Мне больно на него смотреть, так он похож на тебя. Виктория, как ты догадываешься, прекрасная мать. Она живет ими и ради них. Пьер уговаривает ее заново устроить свою жизнь, почаще бывать на людях, встречаться с друзьями, но она и слышать ничего не хочет. Вообще-то эти двое просто созданы, чтобы жить вместе! Они так похожи друг на друга и так отличаются от нас с тобой.

Завтра я пожалею об этом письме. Я знаю, что ты не выносишь сентиментальных признаний и, наверно, возненавидишь меня еще больше, когда его прочтешь. Но знай, что я не сказала тебе ничего того, что пережила и перечувство-

191

вала. Это письмо – лишь минутный порыв. Желание воскресить мой образ... в глубинах твоей души.

Я думаю о тебе.

Клотильда".

Третье письмо пришло два месяца назад.

"Жереми!

Твое письмо меня очень удивило. Узнать, что после стольких лет безразличия я снова вхожу в число твоих первоочередных забот! Твои аргументы весомы: ты решил порвать нашу связь, чтобы избавить меня от мучений жены заключенного. Благородная ты душа, Жереми! Но, видишь ли, я всерьез думаю, что твой ум притупился о стены тюремной камеры. Ты думал, я куплюсь на это? Ты действительно полагаешь, что я так глупа?

Я нужна тебе? Ты был мне нужен, Жереми. Я обнаружила, что влюблена, когда считала себя всего лишь единомышленницей. Мне нравился твой взгляд на жизнь как на вызов, который бросает время аппетитам мужчин. Нравилась твоя вера в то, что, отринув все моральные предрассудки, можно прожить каждую минуту с такой интенсивностью, что забываются все предшествующие, хоть и тоже восхитительные. Я была той, через кого ты освободился от бремени дружбы и верности, от социальных условностей и нравственных приличий. Мне нравилось воплощать твою мятежную свободу. Но я лгала себе. Я была влюблена. Классически и банально влюблена.

Ты раньше меня все это понял, что стоило мне того жалкого письма, в котором ты так умело играл на всех чувствительных струнках влюбленного сердца. Готовый сам себе изменить, лишь бы выпутаться.

Наверно, именно это было мне больнее всего: узнать, что я, влюбленная в тебя, заслуживаю, как и все другие, лишь сиропа искусственной любви, эликсира, предназначенного опьянить меня, чтобы меня использовать.

Так вот, Жереми. Я больше не люблю тебя. Мне жалко смотреть, как ты пытаешься из-за решетки плести словеса, чтобы бросить их, как слабую веревку, за тюремную стену.

И потому, что я больше не люблю тебя, я тебе помогу.

Влюбленная, я была удовлетворена, зная, что ты взаперти и не имеешь иных радостей, кроме лучших воспоминаний, что, скажу не хвалясь, выводило меня на первый план твоих фантазий мужчины в сексуальной нужде.

Но сегодня я могу спокойно представить, как ты выйдешь из тюрьмы, не думая о твоем презрении ко мне и о тех, что займут мое место в твоих объятиях.

На свободе ты будешь волен поступать, как тебе заблагорассудится. Может быть, я даже соглашусь снова лечь с тобой в постель. Или мне этого не захочется. Но это будет мое решение, а не ответ на твои желания.

Вот видишь, теперь, как это ни парадоксально, я могу помочь тебе отсюда выбраться.

Я имею возможность получать весьма ценную информацию. Виктория и Пьер должны свидетельствовать против тебя на следующем заседании суда. Я знаю их доводы. Мы с Викторией снова дружим после бар-мицвы Тома. Я помогала ей с приготовлениями, и это нас сблизило. Она доверяет мне и даже готова делиться "женскими секретами". Я продолжаю все это терпеть, пока у меня не хватит сил решить, что комфорт и лень всего не оправдывают. Пока не поверю, что счастье возможно для меня в другом виде и в другом месте.

Предать их, сообщив тебе сведения по твоему делу, – хороший способ ускорить события. Тем более что совесть меня больше не мучает. Последние клочки моей нравственной чистоты *я оставила где-то между простынями твоей постели.*

Я подумаю о твоем предложении тебя навестить. Я решу, помочь тебе или нет, в зависимости от моих, и только от моих, желаний и ожиданий.

Клотильда".

Из этого излияния чувств, в котором перед ним как будто представали два незнакомца, лишь три момента непосредственно касались его.

Виктория больше не вышла замуж. Не захотела. Пока еще нет. Он не знал, делает ли ему честь бальзам на сердце от этой новости, но это было так.

Тот факт, что Клотильда стала его единомышленницей, готовой вредить Виктории и детям, представлял собой проблему, которую необходимо было обдумать, как только он вновь полностью обретет способность рассуждать здраво.

Пока же этому мешал один образ, несколько слов, буквально поглотивших все остальные. Тома прошел обряд бар-мицвы. Ему тринадцать лет, и по религиозному закону он уже взрослый. Жереми никогда не был истово верующим, однако считал бар-

195

мицву очень важным обрядом и основополагающим моментом в жизни мальчика. Его собственное посвящение сыграло для него большую роль. Он помнил, как чувствовал, что вошел в мир взрослых в этот день. Ему представился Тома с ритуальными коробочками. Он видел гордый взгляд своей матери, завистливый и тревожный — братишки, считавшего дни до своей очереди. Он видел все это, как наяву, хотя перед его мысленным взором представало лицо Тома — семилетнего ребенка. Одного лишь элемента не хватало, и этого было достаточно, чтобы разрушить чары и лишить его близких полного счастья: его, отца. Он не присутствовал на бар-мицве своего сына. Его не было там, чтобы разделить с Викторией счастье ключевого этапа их истории. Эти минуты украли у него, и он ощущал глубокое горе. Тут ему подумалось, что Симону скоро исполнится тринадцать. Он тоже сейчас готовится к бар-мицве. А его, отца, не будет рядом. И это словно выбросило его из действительности.

Ему хотелось поддаться своему горю, расплакаться прямо здесь, в камере. Биться головой о стены до потери сознания. Он искал другие образы, другие чувства, способные ослабить ком в горле, чтобы дать волю слезам. Но так и сидел в прострации, не в состоянии выразить свою боль. Его жизнь медленно угасала, и не было больше сил, чтобы дать выход своему отчаянию.

Жереми пообедал в обществе своего сокамерника. Звали его Владимир Берников. Он был русский. Вернувшись, Владимир отчитался перед ним. Не было другого места, кроме гимнастического зала, чтобы разделаться с Жеффом, братом Стако. И самым подходящим днем была пятница. В этот день Жеффа сопровождал только один из его парней, остальные были заняты сбытом товара, который им удалось пронести в тюрьму.

197

Жереми был доволен, что не придется немедля выбирать между столкновением с этим врагом и нелегким объяснением с соседом по камере. Он недоумевал, как другой Жереми мог принять такое решение. Как бы то ни было, завтра ему придется держать ответ.

В четыре часа в камеру вошел усатый надзиратель.

— В комнату для свиданий, — сказал он, подмигнув.

Жереми поблагодарил кивком головы. Владимир бросил на него вопросительный взгляд, удивленный этим визитом, о котором он ничего не слышал.

Закрыв за собой дверь, надзиратель обратился к Жереми:

— Это было нелегко, скажу я тебе. Ну, тебе повезло, что мне удалось быстро с ним связаться. Но когда я ему объяснил... он был не в восторге. Не мог понять, чего тебе от него надо. Я воззвал к его христианскому милосердию... ну, то есть какому там религиозному милосердию, сказал, что дело срочное и что я не могу ему объяснить. В конце концов он уступил. Он очень хорошо тебя помнит.

Жереми был лихорадочно возбужден, но и встревожен. На эту встречу он возлагал все свои надежды.

Его передали с рук на руки другому надзирателю и повели длинными коридорами, блестевшими сталью в скучных отсветах неона. Комната, куда его привели, была полна заключенных, ожидавших в длинной очереди. Некоторые поздоровались с ним кивком головы, другие уставились прямо ему в глаза, словно оценивая, а иные старательно избегали его взгляда.

Очень скоро его вызвали.

Ему указали бокс. Он сел и подождал немного, глядя на свое отражение в стекле, слишком бледное, чтобы детально себя рассмотреть. Все же он различил темные мешки под глазами. Он вглядывался в этот неясный образ, как вдруг перед ним возникло бородатое лицо. Живые темные глаза смотрели на него со смесью вопроса, опаски и вежливой приветливости. Это был тот самый человек, что пытался урезонить его перед синагогой.

Жереми тупо молчал, и хасид поздоровался:

— Добрый день... Я Абрам Шрикович. Вы... звали меня...

— И благодарю вас, что пришли так быстро.

— Это нормально. Правда, я был немного удивлен.

— Вы меня помните? — спросил Жереми.

— Я сохранил очень... как бы это сказать... своеобразное воспоминание о нашей встрече. Вы выглядели таким... несчастным. Таким потрясенным. Я вызвал полицию, и, когда узнал о вашем заявлении, что вы храните у себя дома наркотики, я... почувствовал себя виноватым. Я подумал, что вы, наверно, приходили, чтобы поговорить об этом, довериться и вместе поискать выход из трудного положения. Мне было ужасно неприятно... Но вы были так... взволнованы, что я не мог пустить вас к раввину. В эти бурные времена нам приходится быть осторожными. И когда я рассказал все это на суде... боюсь, что вам это не помогло.

— Я облегчу вашу совесть. Я приходил не за этим. Донес я на себя сознательно, а раввина хотел повидать по другой причине. И по этой же причине я попросил вас прийти сегодня.

Хасид улыбнулся с явным облегчением, узнав, что он здесь не ради полемики о том злополучном вечере, потом снова помрачнел:

— Но если вы здесь по доброй воле, почему же вы отрицали свою вину на суде? Я не понимаю.

— Может быть, вы и поможете мне ответить на этот вопрос. Предупреждаю вас, моя история покажется вам странной. Я прошу вас отбросить все рациональное, выслушать меня и ответить, опираясь только на чувства и религиозные знания.

— Рацио — разум, а мой разум и есть плод моих религиозных знаний. Слушаю вас.

Жереми подробно изложил ему свою историю. Для него она развивалась вчера-позавчера, и каждая деталь была свежа в памяти. Чувства рвались наружу. Перескакивая с одного на другое, он порой готов был отказаться от мысли выстроить внятный рассказ. Но внимание Абрама Шриковича побуждало его продолжать. Время от времени взгляд хасида терялся где-то вдали, словно искал точку опоры для своих размышлений, потом снова устремлялся на лицо Жереми.

Закончив, Жереми расслабился, перевел дух и посмотрел на хасида. Тот сидел неподвижно, как будто до него не дошло, что Жереми уже замолчал. Потом он выпрямился и покусал губы, словно подбирая слова.

201

— Почему вы позвали именно меня? — спросил он наконец.

Жереми ожидал скорее мнения, чем вопроса.

— Вы единственный служитель культа, которого я знаю.

— Я хочу сказать: почему вы обратились к служителю культа?

— Потому что, я думаю, человеческая логика не в силах ответить на мои вопросы.

— Вы противопоставляете веру и разум?

— Вообще-то...

Хасид не дал ему договорить:

— Я не могу вам помочь. Я не мистик. Я служитель Закона. Я живу, опираясь на солидную структуру — Тору. Я не каббалист-фантазер, не умеющий сладить с богатством открывающегося ему знания и думающий, что владеет иными ключами, кроме тех, что дал нам Закон.

Он снова помолчал, подбирая слова, потом пожал плечами в знак своего бессилия:

— Меня сильно смутила ваша история.

— Вы мне не верите?

— Я не подвергаю сомнению ваши слова. Многое возможно в этом мире. Я слышал немало историй, которые можно счесть вымыслом и бредом, и готов поручиться, что иные из них — правда. Но я не тот человек, что вам нужен.

Он сделал паузу и медленно провел рукой по своей бороде, словно вытягивая слова изо рта.

— Почему вы думаете, что ответ надо искать в религии? Вас, насколько я понимаю, никогда особо не интересовал иудаизм.

— Это интуиция. Моя история как будто всякий раз натыкается на факты, имеющие отношение к религии. Этот молящийся старик, псалмы...

202

— И только? Это вообще могли быть сны или видения в состоянии транса.

— Нет. Эти моменты реальны, я в них живу! Я вижу этого старика! Слышу его! Он читает кадиш. И потом, эта борьба между человеком, который ломает мою жизнь, и тем, что иногда просыпается и обозревает разрушения, — это борьба вокруг очень разных ценностей.

— Да о каких ценностях вы толкуете? Вы пытались свести счеты с жизнью, а это говорит о том, что у вас нет главной ценности — уважения к жизни, дарованной вам Богом.

— Это большая ошибка, я знаю. Заблуждение отчаявшегося мальчишки.

203

— Ладно, хорошо. Но я предпочел бы, чтобы вы обратились к хасидам, специализирующимся на такого рода вещах. Я кое-кого знаю. Могу вас связать, если хотите.

Жереми почувствовал, что больше не владеет ситуацией. Его собеседник, поначалу заинтересовавшийся, теперь, казалось, хотел поскорее уйти.

— У меня нет времени! — воскликнул он. — Я не знаю, что со мной будет завтра и когда сознание снова вернется ко мне. Как же назначать встречу? Сделайте же усилие! Помогите мне! Пожалуйста!

Абрам Шрикович поморщился. Эта мольба тронула его. Но что он мог сделать? Он слишком хорошо знал, сколь важно слово, поспешное суждение для шаткого равновесия на натянутой нити чужого рассудка.

— Послушайте, вот что я вам предлагаю. Я сейчас задам вам вопросы, чтобы прояснить некоторые пункты. Потом, выйдя отсюда, я свяжусь с одним раввином, специалистом по таким проблемам. И после этого позвоню вам.

— Но если вам не удастся с ним связаться?

— Да. Возможно, я не смогу его разыскать.

— Если так, я снова потеряюсь в чужой шкуре, так и не получив ответа! — в отчаянии воскликнул Жереми.

— В самом деле... Как бы то ни было, уж извините, я не думаю, что эти ответы смогут изменить ситуацию за несколько часов. Кроме того, возможен и такой вариант, что он не захочет отвечать. Или, во всяком случае, не сразу. Но это единственное, что я могу вам предложить.

Жесткий тон хасида не вязался с мягкостью его лица. Жереми задумчиво помолчал.

— Я ведь не знаю, когда ко мне снова вернется сознание. Если я не получу ответа сегодня до вечера, как вы найдете меня в день моего... пробуждения?

Взгляд Абрама Шриковича устремился куда-то в бесконечность, простирающуюся за стеной. Он снова погладил бороду и через несколько секунд произнес:

— Вот мое предложение: в день, когда сознание вернется к вам, свяжитесь со мной. Я буду готов. Я обращусь к двум или трем раввинам, способным ответить на эти вопросы, и они дадут мне свое мнение.

— Хорошо. Но не забывайте, время работает против меня. Прошу вас, постарайтесь собрать максимум информации сегодня до вечера.

205

— Я сделаю все возможное. А теперь, чтобы я смог в точности передать моим коллегам рассказ о вашем... приключении, расскажите подробнее об этом старике и его молитвах. Как он выглядит? Какие молитвы читает? Вы говорили о кадише.

— Это старик. Лет ему семьдесят или восемьдесят, около того. У него изможденное лицо и жидкая седая борода. Глаза навыкате. Печальные, безжизненные. Как, впрочем, и все его лицо. Кажется, будто на нем живут только губы. Голос у него ужасный, жалобный. Я слышал, как он читает кадиш, одну из немногих молитв, которые я знаю. Мой отец всегда читал ее в годовщину смерти моей сестренки.

— Когда появляется этот старик?

— Вечером, как только я начинаю засыпать.

— Он с вами говорил?

— Да, в первый раз. Он молился, а потом склонился ко мне и сказал: "Не надо было". И еще несколько раз повторил "жизнь", очень печально.

Абрам Шрикович завороженно слушал Жереми.

206

— Он говорил еще что-нибудь?

— Нет. Я уснул.

— Вы еще упомянули о странном чувстве, которое испытываете при чтении некоторых псалмов.

— Да. И это один из постоянных элементов моей истории. Связующая нить между мной и тем, другим. Так, я узнал от моей жены, что мое другое "я" привлекла маленькая псалтирь в витрине на улице Розье. Привлекла настолько, что моя жена купила ее и подарила мне в тот день, когда я был в сознании. Когда я ее открыл, мне стало не по себе. Я прочел несколько слов, и это лихорадочное состояние усилилось. Я был взволнован, напуган, сам не знаю почему.

— О каких псалмах идет речь? Вы их помните?

— Да, я читал девяностый псалом. Когда я пришел в себя шесть лет спустя, некоторые страницы из книги были вырваны. Те, что я читал, и еще псалмы тридцатый и семьдесят седьмой. Может быть, и другие. Что я точно знаю — тут скрыто что-то неприятное как для меня, так и для того другого человека, которым я большую часть времени являюсь.

Абрам Шрикович с минуту помолчал.

— Тридцатый, семьдесят седьмой, девяностый, — тихо повторил он.

— Это что-то значит для вас?

Хасид не ответил.

— Каковы были до сих пор ваши отношения с Богом? Вы исповедуете культ?

— Никогда по-настоящему не исповедовал. Дома мои родители не делали упора на нашей вере. Мой отец потерял большую часть своей семьи в лагерях. Он хотел, чтобы я вырос французом, свободным от бремени этой истории. Это его отец решил сменить фамилию Вейзман на менее вызывающую Делег. Но какие-то обряды мы исполняли в основные праздники. Я верил в Бога на свой лад. Даже говорил с Ним. Я говорил с Ним и в день моего самоубийства. Долго. Это был очень

207

личный и бурный разговор. Но сегодня я сознаю, что представлял Его скорее человеком, наделенным сверхъестественными возможностями, от которого я мог всего ожидать. Чем-то вроде волшебника.

— Вы сказали, что говорили с Ним в день вашего самоубийства. А вы сознавали, как относится религия к вашему поступку?

— Не совсем. Мое самоубийство было бунтом против духа, отказавшегося исполнить мое последнее желание, самое важное из всех.

— Вы пытались покончить с собой... чтобы наказать Бога?

— В каком-то смысле. Я думаю, что, представив мой поступок этаким бунтарским жестом, я смог найти в себе необходимое мужество, чтобы его совершить. Все это до сих пор толком не уложилось у меня в голове.

Абрам Шрикович опустил голову и приложил обе ладони ко лбу, словно избегая взгляда Жереми. Губы его едва заметно шевелились — то ли он шепотом рассуждал, то ли молился. Жереми молчал в ожидании вердикта. Но Абрам Шрикович вдруг резко поднялся. Нахмурившись, он жестом дал понять, что разговор окончен.

— Я ухожу. Будем с вами держаться того, на чем порешили.

— Постойте, — перебил его Жереми, — что случилось?

Абрам Шрикович обернулся. Он выглядел растерянным и, пошатываясь, искал глазами надзирателя.

— Вы что-то скрываете от меня! — воскликнул Жереми. — Вам что-то пришло в голову, что-то вас смутило, не так ли? У вас есть идея, я уверен! Скажите мне!

Хасид усиленно напускал на себя безразличный вид, однако легкие подергивания губ и кривая усмешка выдавали его волнение. Он шагнул в сторону, чтобы уйти, но продолжал пристально смотреть на Жереми. Тот тоже встал, чтобы попытаться его удержать.

— Это кара Божья? Так вы подумали?

— Я... я не могу сейчас ответить. Я вам позвоню. Свяжусь с вами. Я вам обещал.

— Но, черт побери, скажите же ваше мнение! ВАШЕ мнение!

Жереми запаниковал. Этот человек, возможно, понял его ситуацию, знает, как освободить его от кошмара. Но он уходит, ничего ему не сказав! Жереми был в отчаянии.

Абрам Шрикович, отвернувшись, ждал у двери, чтобы ему открыли. Появился надзиратель. Жереми бессильно опустился на стул.

209

Он больше не кричал. Он устал от этих бессмысленных поисков, устал умолять, плакать, думать, предполагать, надеяться.

Близился вечер, а он так и не добился ответов. Он смотрел на человека в черном, уходившего из комнаты для свиданий. В нем была его последняя надежда. Дверь уже закрылась за ним. Жереми видел только его затылок и шляпу в круглое окошко. Потом Абрам Шрикович обернулся, секунду или две смотрел на него пристально, а потом легонько кивнул. Попрощался или ответил утвердительно на его последний вопрос? Жереми не знал. Но в одном он был уверен: Абрам Шрикович плакал.

В камере Жереми застал Владимира, тот лежал на кровати, уставившись в потолок.

— Ну что, с кем виделся-то?

Жереми не хотелось отвечать. Но тесное соседство в камере вынуждало его вновь войти в роль.

— С любовницей.

— Нежданно нагрянула?

— Нет. Это я попросил, сегодня утром. Надо было кое-что уладить.

— Ты бы поостерегся вертухая. Уж слишком он с тобой ласковый. Ладно, знаю, он замазан в твоих делишках, но не забывай, что ты только зэк.

— Не беспокойся.

— Ну так когда обмозгуем наше дельце?

— Не сейчас. Мне надо подумать, — твердо ответил Жереми.

Он опустился на кровать и обхватил голову руками. Подождал несколько секунд, надеясь, что Владимир не станет продолжать разговор.

Из коридора доносился глухой гул, в котором различались более отчетливые звуки, говорившие о том, что настало время ужина. Жереми вдруг целиком и полностью ощутил свое тело, лежащее на кровати. Каждая выпуклость окружающего мира явственно касалась его, гладила ему кожу. Только разум его отсутствовал. Он витал где-то поодаль, в этой камере, взирая на свою плотскую сущность, постигая тайну ее присутствия в этом месте. Жереми подумал об Абраме Шриковиче. Тот прозрел объяснение, которое напугало его. Он мысленно перечислил те, что спонтанно пришли ему в голову. Но вынужден был спасовать перед безумием большинства своих предположений. Он, однако, знал, что не сможет найти ответ, не затерявшись в лабиринтах мистицизма. Если речь идет о Божьей каре,

211

то какова ее цель? Возмездие? Поиски раская-
ния? И какова истинная натура Жереми? Та,
что бодрствует сейчас, или та, что проявится
уже завтра?

Они поели молча. Жереми почти не притронулся к еде, и Владимир, бросив на него вопросительный взгляд, забрал его поднос.

— Почему ты сегодня молчишь? — вдруг
спросил Владимир.

Жереми откусил кусок яблока, чтобы дать
себе время подумать или продлить паузу.
Но Владимир ждал ответа. Он считал, что
проявил достаточно терпения. Их молчали-
вые соглашения требовали, чтобы Жереми
высказался.

— Ты правда какой-то чудной сегодня.
Обычно ты рта не закрываешь. Я даже спать
не могу, столько ты балабонишь. Без умолку:
как ты раньше жил, да как будешь жить потом, какие козни строить, как выберешься
из этой дыры, что будешь делать, когда выйдешь на волю, как достанется твоей жене, каких девок поимеешь, какие бабки зашибешь...
А сегодня ты молчишь как пень! Все думаешь!
Что с тобой?

При упоминании о жене Жереми вздрогнул. Что Владимир хотел сказать? Виктории

грозит опасность? Или это просто для красного словца? Он решил выяснить.

— Это моя жена, — начал Жереми.

— Что — твоя жена?

— Опять она за свое.

— Что еще затеяла?

Жереми устало махнул рукой:

— Так, пакости всякие. Она меня достала до печенок. Вроде бы старается упечь меня еще на несколько лет.

— Ба, об этом не беспокойся. Я скоро выйду на волю и обещаю тебе, что отобью у нее охоту тебя донимать.

Жереми словно ударили кулаком в живот. Ему не хватало воздуха. Не в состоянии вымолвить ни слова, он только кивнул головой. Что еще предстоит вытерпеть Виктории? На что способно это чудовище? Избить ее? Изнасиловать? Убить? Он не мог так рисковать. Надо было взять себя в руки и действовать, чтобы защитить ее. Но как? Убить Владимира? Что ему терять? Еще годы заключения в обмен на покой и здоровье своей жены? Выбор был легкий. Но он знал, что физически неспособен это сделать.

И тут Жереми пришла одна идея. Надо было торопиться. В своем шкафчике он на-

213

шел ручку, бумагу и конверты. Кому же он писал в другие дни?

— Что ты делаешь? — спросил Владимир.

— Пишу.

— Твоему адвокату?

— Да, — ответил Жереми, — моему адвокату.

Он быстро настрочил два письма. Когда он закончил, Владимир уже уснул и оглашал камеру громким храпом. Жереми позвал надзирателя с суровым лицом и несговорчивым видом. Он передал ему одно из писем, то, что было адресовано Виктории. Надзиратель заметил, что почту принимают утром, но все же взял письмо и спрятал его в карман.

— Мне никто не звонил?

— Нет, ты кем себя возомнил, Делег? Тут тебе тюрьма, а не контора! И я не твой личный секретарь!

— Мне просто должны звонить сегодня вечером.

— Слушай, ты меня за своего кореша не держи. Здесь у нас два лагеря — надзиратели и зэки. И я-то знаю, на какой я стороне. Так что радуйся, что я взял письмо. А насчет телефона — если и будет звонок, я тебя не позову.

— Спасибо за письмо, — ровным голосом сказал Жереми.

Надзиратель, очевидно ожидавший бурных пререканий, удивился. Что-то процедив сквозь зубы, он вышел из камеры.

Дверь захлопнулась с глухим стуком, который замер, растворившись в отголосках других, более далеких звуков.

Жереми направился к окну. Ноги были точно налиты свинцом. Он оглядел двор и увидел двух беседующих надзирателей у столба электропередачи. Он взял второе письмо, сложил его, привязал к куску мыла и бросил прямо в них. Оно попало в плечо тому, что повыше, он обернулся и поднял глаза к окнам, но Жереми успел пригнуться. Он выждал несколько секунд и выглянул снова. Двое надзирателей читали посланную им записку.

Жереми лег на кровать. Усталость постепенно уносила его к неотвратимому сну. Вытянувшись, он подумал о нескольких часах просветления с невольной досадой. Они не дали ему никакого повода смотреть на свое положение с оптимизмом. Он был здесь, в этой камере, во враждебном окружении, не в состоянии довести до победного конца свои поиски. Он только что обеспечил себе еще несколько лет заключения — единственное доказательство любви, на которое он

215

был еще способен. Когда Владимир и другой Жереми перейдут к действию в спортивном зале, надзиратели будут начеку. В анонимном письме, которое он бросил во двор, все было изложено предельно ясно.

Другое письмо раскроет Виктории и Пьеру его связь с Клотильдой и помешает ей ему писать.

Жереми полностью изолировал свою темную сторону и избавил Викторию от нависших над ней угроз. Но одновременно он обрек себя на гниение в этой дыре, сведя к нулю шансы найти выход из своего кошмара.

Ему оставалось только уснуть — и ждать. Ждать, насколько возможно, спокойно или, по крайней мере, смиренно. Но его разум, еще бодрствующий, воскресил несколько воспоминаний его короткой жизни.

И тут — словно яростный ледяной ветер ворвался в открытую дверь — его охватил страх. Безмерный страх. Страх, который остатки здравого рассудка не могли унять. И вдруг память показала ему картину, которой он не знал: ему был год или чуть больше, он стоял в кроватке с сеткой и плакал. Плакал навзрыд, звал родителей, чтобы они пришли и отняли его у призраков, которые, затаившись в сумраке, подстерегали его. Эти призраки заставляли плакать его сестренку, а потом они заставили ее замолчать навсегда. Он понял, что охвативший его ужас воскресил воспоминание такой же силы. Мрак накатывал, готовый его поглотить. Призраки слетелись, готовые его замучить. Через несколько минут он станет одним из них. Старик уже начал свою молитву. И впервые Жереми обрадовался, увидев его, услышав знакомый голос. Этот старик молился за него. Он был здесь ради его блага. Жереми слушал молитву, как слушал когда-то давно колыбельные матери. Чтобы уснуть, забыв свой страх.

Глава 7

Ни голод, ни любопытство не смогли поднять его с постели, но, увидев зеркало над умывальником, он быстро встал и подошел к нему. Он не решился посмотреть на себя сразу. Набрал в пригоршню воды и умыл лицо. Кожа на ощупь показалась ему мягче, тоньше. Она словно таяла от прикосновения жестких, шершавых рук. Тогда он поднял глаза на отражающую поверхность — и отшатнулся от того, что увидел. Глаза быстро обежали лицо, не зная, на какой детали остановиться. Сколько лет понадобилось, чтобы так изменить его черты? Глубокие круги залегли под глазами. Новые морщины появились в разных местах, особенно у рта и на лбу.

Кожа стала дряблой, овал лица утратил былую четкость. Волосы поредели, и светлые прогалины пролегли там, где еще недавно курчавились пышные пряди. На висках серебрилась седина.

"Мне, наверно, лет шестьдесят", — сказал он себе в приступе отчаяния.

Потом, одумавшись, поправился: "Нет, сорок пять или пятьдесят. Я состарился".

Он еще поплескал на лицо водой, словно чтобы стереть это видение, загладить морщины и пометы времени.

Потом лег на кровать и уставился в гладкий, блестящий потолок.

219

"Моя жизнь прошла. Я не приходил в сознание много лет. Я стал стариком вдали от нее. И она стареет вдали от меня. Столько лет. Столько лет..."

Ему захотелось забыться. Не было никаких причин цепляться за свое настоящее теперь. День и число, место, в котором он находился, события, приведшие его сюда, — ничто больше его не интересовало. Оставалось только ждать. Дождаться и уснуть, чтобы проснуться еще более старым, и так далее, до самой смерти. В конце концов, ему до нее осталось совсем немного.

Поднос с обедом принесли и унесли, Жереми к нему не притронулся. Ему удалось абстрагироваться от своего тела. Он по-прежнему лежал, предоставив своим мыслям течь свободным потоком, и они накатывали, осеняли его на миг, разбивались, уступая место другим. Он прокрутил пленку своей жизни, не пытаясь извлечь из нее ни малейшего смысла. И только лицо Виктории виделось ему снова и снова. У него была любовь, и он ее потерял. Каждый ее образ сопровождался чувством, всякий раз новым. Неисчерпаемый кладезь тепла, хоть за каждым трепетом счастья холодным дыханием напоминала о себе боль, грозя погасить тлеющие угли утешительных воспоминаний.

Дверь отворилась, и вошел надзиратель.

— Ты готов, Делег?

Надзиратель оглядел камеру и яростно фыркнул:

— Да ты... Ты еще не собрал вещи? Издеваешься надо мной? Скажите на милость, не очень-то тебе хочется уходить из тюрьмы! У тебя десять минут! — рявкнул он и вышел.

Как только смысл этих слов дошел до Жереми, отупение, в которое погрузили его давешние мысли, рассеялось.

Воспринимать ли эту новость как хорошую или плохую? Что она значила для него? Он не ждал больше ничего хорошего. Только его выздоровление могло бы оказаться развязкой. Да и то вопрос! Много воды утекло. Прошли годы. Что он еще мог спасти? И что способен натворить другой Жереми, оказавшись на воле?

Он начал собирать свои вещи в черный мусорный мешок. Занятие это наверняка сулило ему новые открытия. Это было уже привычным делом. Он улыбнулся, подумав, что его болезнь стала рутиной. Нескольких раз хватило, чтобы приобрести новые привычки. Он открыл шкафчик и выложил все содержимое на кровать. Среди одежды обнаружилась потрепанная коробка, в которой лежали какие-то бумаги. Жереми поставил ее на стол и начал изыскания.

Первым он нашел письмо от Клотильды, датированное 6 июня 2018 года.

"Мой милый мерзавец,

Я не знаю, какую цель ты преследуешь. Может быть, никакой.

Когда Пьер показал мне письмо, которое ты прислал Виктории, я ничего не поняла. Сначала я подумала, что это акт любви. Вот

221

идиотка! Да-да! Я решила, что ты сделал это
с целью развести меня с Пьером, чтобы я была
вся твоя. Очень скоро я поняла, что это бред.
Ты неспособен на такой поступок, потому что
неспособен любить.

Пьер был убит. Он сразу же попросил меня
уйти. И самое смешное, что меня это опеча-
лило. Я расставалась с человеком, который любит меня, из-за человека, который меня больше
не любит. Я была вынуждена признать, что
ты и есть тот, кого порой с грустью описывал
Пьер: безумец, с удовольствием творящий зло.

Я могла бы умолять Пьера простить меня,
но знала, что все будет напрасно. Мы слишком
далеко разошлись в разные стороны, и расстоя-
ние не позволяет нам больше понять друг друга.
Я одна с моей ненавистью к тебе. Я сумею заставить тебя заплатить за это, Жереми. Ты
научил меня быть жестокой. И я буду, можешь
мне поверить.

Клотильда".

Итак, часть его плана сработала. Виктория
получила его письмо. Ему было очень жаль
узнать, что Пьер страдал. Но он наверняка
оказал ему услугу, открыв, что связывает
Клотильду с другим Жереми.

Он нашел еще одно письмо и сразу узнал почерк. Лихорадочно схватив его, он не смог совладать с дрожью в руках. Письмо было датировано 18 марта 2020 года.

"Жереми!

Я всегда верила, что однажды мы возобновим нормальные отношения – отца, матери и сына, любящих друг друга, вопреки всем трудностям, которые могли им встретиться. Когда мы в первый раз виделись после твоей попытки самоубийства, больше двадцати лет назад, у меня появилась надежда. Я вновь обрела тебя, нежного, внимательного, любящего. Я была счастлива сообщить об этом твоему отцу, и он, забыв свою гордость, улыбался моему рассказу о нескольких часах, проведенных с тобой. Я уверена, он даже пожалел, что сам не пришел. Но наша радость длилась недолго: вскоре тебя как подменили. Ты снова отказался видеть нас. И снова мы ничего не понимали. Опять эта боль, еще более жестокая, ведь мы поверили радужному обещанию, и нам рисовалось новое будущее, с тобой. Я звонила тебе, умоляла, но ничто не могло вернуть тебя нам.

Все это как дурной сон. Сон, который начался в тот день, когда, захотев умереть, ты

223

убил нас. Виктория и Пьер предполагают, что ты болен, что ты будто спишь и просыпаешься время от времени, в день твоего рождения. Может быть, это правда.

Мы с твоим отцом цеплялись за это предположение и за многие другие. Каждое из них давало нам передышку, позволяло вырваться на время из духоты нашего несчастья и вдохнуть немного свежего воздуха. Так тяжко было думать, что наш сын, единственный оставшийся у нас ребенок, нас ненавидит.

Потом твой папа оставил надежду. Он запретил мне говорить о тебе, произносить твое имя. Он хотел убедить себя, что тебя больше нет, что ты действительно умер в тот день. И его жизнь кончилась. Он перестал гулять, встречаться с друзьями. Даже посещения внуков не могли больше облегчить его горе. Он заболел. Я ухаживала за ним, каждый день надеясь, что ты придешь, позвонишь в нашу дверь и твое возвращение станет чудодейственным лекарством. Но последние четыре года были ужасны. Он повредился умом. Мне случалось порой тебя ненавидеть, когда в его пустых глазах я видела тебя. Мы всегда представляли себе, как уйдем на покой, словно пристанем к долгожданному берегу. Пристанем после стольких лет борьбы с бурями и ожидания затиший. Милый берег, ласковый и безмятежный простор теплого песка. Но ты превратил эти годы в ад.

Твой папа умер вчера вечером. Он мучился. И в своих последних стонах он звал тебя.

Может быть, там, где он теперь, он тебя простит.

Я не прощаю.

Мириам Делег".

Отчаянный крик Жереми разорвал мерный гул тюрьмы.

Тяжелая стальная дверь закрылась за ним. Солнце ослепило его, и он сощурился. Любой заключенный наслаждался бы первыми минутами свободы, но он стоял растерянный, ошалевший от яркого света.

225

Жереми пробыл в тюрьме двенадцать лет. Это он узнал по дате на справке об освобождении.

Куда же ему теперь идти? Неужели придется снова искать способ вернуться в тюрьму, чтобы защитить Викторию и детей?

У него было несколько часов, чтобы над этим подумать.

На улице кипела жизнь, привычный ритм затягивал его, увлекая в ее поток. Но он не был на этой улице, не участвовал в этой суете. Его жизнь протекала не здесь и в другом времени.

Жереми направился к дому, где жила Виктория, когда его посадили.

Он вошел в сквер, где когда-то подсматривал за своей маленькой семьей. Сел на скамейку, на которой отдыхала Виктория несколько лет назад. Легкое ощущение тепла наполнило его, словно Виктория оставила здесь флюиды, которые оживило его тело. Ему вспомнились сказанные ею тогда слова, ее слезы, ее повадка сломленной женщины. Он погрузился в свои мысли. Мать, жена, дети являлись ему по очереди, улыбались, журили его, обнимали, оплакивали, ненавидели.

Он не знал, сколько просидел так, не сводя глаз с окон квартиры. По-прежнему ли Виктория живет здесь? Она наверняка переехала, чтобы быть подальше от мест, связанных с ее мучительным прошлым. Он подошел к подъезду, посмотрел имена на почтовых ящиках. Фамилии Виктории среди них не было.

Он отправился к дому матери с надеждой ее увидеть. Ей было уже семьдесят девять лет; годы и несчастья наверняка наложили на нее отпечаток. Он дошел до улицы Фобурдю-Тампль и остановился перед домом. Картины его счастья были повсюду: на этом фасаде, на тротуаре, скамейках, подъезде. Он вошел в холл и с грустью отметил, что его отремонтировали. Деревянные почтовые ящики, на которых дети когда-то выцарапывали свои имена, заменили алюминиевыми, а старую кафельную плитку на полу — мраморной.

Он прочел имена на домофоне. Фамилии матери там не было. Он постарался успокоить свои страхи, вспомнив письмо, которое она ему написала. Четыре года назад она была жива! Но четыре года для человека, страдающего амнезией, — совсем не то, что для старой женщины.

227

В истории, в которую он попал, для него не было больше роли; ему захотелось остаться одному, наедине со своим горем.

Он заметил маленький отель, чуть подальше на той же улице. В такие гостиницы заходят лишь по необходимости.

Комната была неопрятная. Грязные потеки на облупившейся краске. Слабый свет, пробивающийся сквозь засаленные занавески. Но Жереми была безразлична эта отвратительная обстановка.

Он лег на кровать и закрыл глаза.

Прошел, должно быть, примерно час, как вдруг в дверь постучали. Жереми не шевельнулся. Он никого не ждал, ни для кого не существовал.

Стук повторился.

Потом повернулась ручка. Жереми увидел, как дверь медленно приоткрылась, различил тень, затем взгляд. На него смотрел мужчина. Он не решался войти и постоял несколько секунд на пороге, потом шагнул в комнату, на свет.

И тут, несмотря на все забытые годы, Жереми узнал вошедшего.

228

Жереми сидел на кровати перед Симоном. Оба молчали. В суровом и непреклонном лице сына Жереми узнавал ребенка, которого так мало знал. Он был красив строгой правильной красотой.

Жереми был одновременно взволнован и опечален. Он не ожидал, что Симон бросится ему на шею, но его холодный взгляд причинял боль.

Симон заговорил первым.

— Я пришел задать вам один вопрос, — сказал он твердо.

Это "вы" кольнуло Жереми. За ним он увидел конфликты, которые развели их, отдалили друг от друга и в конце концов сделали чужими людьми.

Жереми знал, о чем Симон пришел спросить. Он вздохнул, выражая свое бессилие.

— Я не могу на него ответить.

Симон стиснул зубы.

— Ты пришел спросить, каковы мои намерения по отношению к твоей матери, к вам, — продолжал Жереми. — Ты хочешь знать, что я собираюсь делать. Но я не знаю.

— Вы не знаете? — яростно повторил Симон. — Для меня это уже ответ!

— Нет. Я не знаю, потому что могу отвечать только за свои сегодняшние чувства и поступки. Завтра я буду другим человеком. Человеком, о котором я знаю только, что он плохой, и над которым не имею никакой власти.

Симон кинулся на отца и схватил его за грудки.

— Послушайте меня хорошенько, — заговорил он, встряхивая его, словно подчеркивая каждое слово. — Тюремная администрация сообщила нам об окончании вашего срока, и уже несколько недель моя мать в ужасе. Она не спит, не ест. Я следил за вами от самой тюрьмы. Видел, как вы подходили к нашей старой квартире. И к бабушкиному дому тоже. Я не знаю, что вы замышляете, чего добиваетесь, но зарубите себе на носу: если вы только приблизитесь к моей матери, если вы намерены нам вредить, клянусь вам, что я... я заставлю вас об этом пожалеть! Моя мать достаточно выстрадала. Я не хочу, чтобы она умерла от страха или от горя, как дедушка с бабушкой. Я не дам вам ее убить! Клянусь!

Симон ослабил хватку и яростно отшвырнул Жереми на кровать. Лицо его вновь обрело свою строгую, суховатую красоту. Он повернулся и направился к двери.

— Постой! — крикнул Жереми.

Тон его голоса удивил Симона.

— Что ты сказал? Моя мать, она... мама у...

Симон смутился, но оставался настороже.

— Вы это знаете. Она скончалась два года назад. По вашей вине. Умерла от горя. Она потеряла мужа... а сына потеряла еще раньше. Она просто не хотела жить. Перестала есть. Нашей любви не хватило. Она все еще ждала вашей.

Жереми сполз на пол. Жгучая боль пронзила ему сердце и с каждым его ударом жидкой лавой растекалась по мельчайшим уголкам его сознания, по тончайшим фибрам каждой мышцы. Он весь стал пылающим огнем и готов был сгореть, рассыпаться пеплом и смешаться с пылью, в которой терялись его глухие стоны и рыдания.

Он плакал; потом, почувствовав себя опустошенным, выпрямился и прислонился к стене.

— Я ничего этого не хотел, Симон, — простонал он. — Я стремился к нормальной жизни, с твоей матерью. Моя жизнь была бы так прекрасна, если бы... если бы я не сошел с ума. Если бы во мне не сидел этот монстр, готовый все принести в жертву ради своего удовольствия. Я не знаю, что у меня за болезнь, Симон. Знаю одно — что никогда не бываю собой. Только редкие просветления позволяют мне время от времени увидеть зло, которое я натворил.

— В день вашего рождения? — спокойно спросил Симон.

— Откуда ты знаешь?

— Мама сказала.

— Стало быть, она мне поверила.

— Да... в общем... Она всегда говорила, что вам трудно доверять, потому что вы всегда лгали. Но когда вы сами на себя донесли в полицию с этими наркотиками, это ее потрясло. И когда вы послали ей это письмо про вас и...

жену Пьера, и потом это предупреждение насчет некоего Владимира. Она рассказала мне
все это, и мне хочется ей верить. Я вспоминал
день, когда вы отвезли меня в больницу. В тот
день вы были другим. Не тем человеком, которого мы с Тома знали. Конечно же назавтра
Тома вас снова возненавидел, а я — забыл.

Он говорил медленно, чеканя каждое
слово.

— Я ничего этого не хотел, Симон, — повторил Жереми.

Наступило молчание. Потом Симон снова
заговорил:

— Если я допущу... — Он оборвал фразу и задумался. — Что будет завтра?

— Не знаю. Ты ненавидишь меня, не так ли?

— Я не могу провести черту между тем, кто
вы сегодня, тем, кем были вчера, и тем, кем
будете завтра. Это слишком трудно. Да и все
равно ни к чему.

— Я понимаю, — вздохнул Жереми. Он поднялся и встал перед сыном. — Позаботься
о матери. Я удалю отсюда негодяя, которым
буду.

— Как?

— Еще не знаю. Что-нибудь придумаю. До-
верься мне. Лучше не знать о вещах, над которыми мы не властны.

Впервые Симон опустил глаза.

Жереми хотелось обнять его и прижать к себе, не только чтобы успокоить, но и чтобы почерпнуть от прикосновения к сыну немного любви, в которой он так нуждался.

— Я знаю, что ты хочешь мне сказать. Не беспокойся. Теперь иди.

Симон был уже в дверях, когда Жереми вновь окликнул его. Голос его дрогнул.

— Симон, я хотел тебя спросить... Виктория... Твоя мама... Она не вышла замуж?

Симон слабо улыбнулся ему:

— Лучше не знать о вещах, над которыми мы не властны.

Вечер тянулся бесконечно. Ему не терпелось дождаться его конца и покинуть эту юдоль страданий. У него был еще целый час, чтобы разработать план, который позволит ему сдержать свое обещание. Совершить новое преступление, чтобы сразу сесть в тюрьму? Решение простое и эффективное. Попытки кражи должно хватить.

Жереми думал о Симоне. Поступок юноши восхитил его. Он был доволен, что удалось поколебать ненависть к нему сына. Думал он и о Виктории. Она тоже знала, что существует время от времени другой Жереми, который любит ее. Она была права, что бежала от него. Но в каждый день его рождения она наверняка о нем думала.

Вдруг скрипнула, поворачиваясь, ручка двери.

Симон вернулся! Теперь Жереми с сыном поговорят, попытаются понять друг друга, с пользой проведут оставшиеся у него минуты просветления. Впервые за весь день Жереми нашел повод улыбнуться.

Дверь распахнулась, и в комнату ворвались трое мужчин с нацеленными на него пистолетами.

— Ни с места, урод! Дернешься — пристрелю!

Кричал самый здоровенный из троих. Он смахивал на питбуля и выглядел устрашающе. Мощный торс сидел на широких бедрах, а огромная голова, наголо обритая, с маленькими злыми глазками, как будто вырастала прямо из плеч. Рядом с ним стоял высокий блондин с длинным худым лицом. Он походил на Крокиньоля, одного из трех героев серии комиксов о Никелированных ногах. Третий был поменьше. Брюнет с короткими волосами, широкими бровями, нависшими над большими черными глазами, и почти женским пухлым ртом. Он держался спокойнее двух своих дружков и только пристально смотрел на Жереми.

Крокиньоль и Питбуль встали по обе стороны кровати, направив пистолеты на

Жереми. Маленький брюнет убрал оружие и сел на стол.

— Вот видишь, Делег, мы таки тебя поймали! — сказал он почти ласково. — Дождались наконец. Ты думал, мы тебя забудем?

Жереми сразу понял, кто эти люди, но, как ни парадоксально, не испугался. Эта часть его истории его сегодняшнего не касалась. Он даже чуть не улыбнулся: вот и выход, который он искал, чтобы покончить со своим двойником.

— Молчишь, Делег? — спросил Стако угрожающе.

Что он мог сказать? Эти люди не принадлежали к его скудной действительности. Они пришли не в тот день.

— Придется тебе мне объяснить. Все объяснить. С самого начала.

Жереми безмолвствовал. Никакое объяснение не удовлетворило бы этого человека.

— Ладно, тогда я за тебя скажу. Давай сначала про твое предательство, уже много лет назад. Зачем ты выдал наш товар легавым? Чего ты добивался? Кинуть этого придурка Марко? Мы с ним разобрались. Наш товар безнаказанно не теряют. Нет, дело не в этом, я уверен. Ты бы придумал что-нибудь получше. Ты же голова. Мне говорили, что в тюряге ты держал в кулаке и персонал, и авторитетов. Так... почему же?

Он смотрел на Жереми, ожидая ответа.

— Потом, — продолжал он, не дождавшись, — ты задумал убить моего брата. Работу должен был сделать Владимир. И вдруг ни с того ни с сего ты кидаешь своего кореша. Не пойму я, что у тебя на уме. Ты отмотал двенадцать лет, вышел голый, помочь некому, с пустыми карманами... Нет, правда, я не понимаю. А я терпеть не могу чего-то не понимать. Придется тебе мне объяснить.

Жереми не ответил. Он даже посочувствовал в душе этому человеку, который, наверное, потратил много часов, разрабатывая самые невероятные гипотезы.

Питбуль стукнул Жереми стволом пистолета. Удар на миг оглушил его.

— Ну, Делег?

На этот раз Крокиньоль ударил его рукоятью пистолета по щеке. Теплая кровь потекла в рот.

Однако он по-прежнему не испытывал ни страха, ни ненависти. Вся эта ярость была адресована не ему, а его двойнику.

От следующего удара по голове он потерял сознание.

237

Когда он очнулся, троица разговаривала между собой. Крокиньоль кивнул Стако, и тот повернулся к Жереми:

— Ну что? Очухался? В добрый час! Теперь можно и поговорить.

Он ударил Жереми по лицу с такой силой, что тот снова едва не потерял сознание. Но он сразу понял, что дело не только в побоях. Он уже тонул в пучине времени и узнавал каждый симптом. Тело его расслабилось, и боль отступила.

238

Стако смотрел на него с недоброй улыбкой:

— А ты крутой, Делег. Ни крика, никакой реакции... Знаешь, в твоих интересах все рассказать. Если я смогу понять, почему ты все это сделал, если поверю, что это ты не дал Владимиру убить моего брата, я буду милосерден. А иначе мне придется показать пример: никто не может безнаказанно задеть нашу семью. Так уж в нашей среде заведено. Всем показать, что, даже после стольких лет, тот, кто нас кинет, ног не унесет.

Он вопрошал Жереми взглядом. Через несколько секунд он вздохнул, махнул рукой и сделал знак своим подручным. С невероятным зверством они набросились на Жереми и принялись его избивать.

Жереми закрыл глаза и пытался дышать ровно. Когда удары прекратились, Стако склонился над ним:

— Ну, Делег? Я даю тебе еще один шанс. Знаешь, чем больше я смотрю, как ты сопротивляешься, тем больше тебя уважаю, и потом, мне хочется знать правду об этой истории.

Но слова Стако уже долетали до Жереми с опозданием, через несколько секунд после того, как их произносили пухлые губы его палача.

Его сковал холод, руки и ноги одеревенели. На сей раз он уйдет посреди этой сцены из дрянного детектива.

Лицо Стако расплылось перед его глазами. Он слышал голоса троих дружков — те совещались.

А вскоре он услышал другой голос, знакомый. Началась молитва. Он чуть повернул голову и увидел старика. Тот сидел слева от кровати, склонившись над книгой, бормоча и раскачиваясь в такт.

И тут Жереми увидел, как к нему приближается тень. Он сосредоточил свое внимание на этой фигуре и, чтобы не потерять сознание, попытался глубоко вдохнуть сквозь за-

239

ливавшую горло кровь. Он различил силуэт Стако в метре от себя и увидел направленное на него дуло пистолета.

Старик молился все громче, подкрепляя каждое слово жестом сжатой в кулак руки. Сегодня его молитва подходила к случаю.

Жереми услышал выстрел, и огненная вспышка ослепила его.

Глава 8

— Месье Делег, просыпайтесь! Сегодня большой день!

Жереми не шевельнулся. Он лежал неподвижно, с закрытыми глазами, в надежде снова уснуть и тем ускорить течение этих абсурдных фрагментов жизни.

— Ну же, месье Делег! Вот лодырь-то! Ладно, давайте я вас помою, — продолжал женский голос.

Жереми не понял, что значили эти слова. Он открыл глаза и увидел, что лежит на кровати совершенно голый. Склонившаяся над ним санитарка водила мокрой перчаткой по его ногам.

Он попытался натянуть на себя простыню, чтобы прикрыть наготу. Но рука не слушалась. А когда он хотел запротестовать, из горла вырвались только невнятные звуки. Он не мог сделать ни малейшего движения. Его тело лежало, безвольное и тяжелое, как старое бревно.

Испугавшись, он дернулся с удвоенной силой, но шевельнулась только правая рука. Вытаращив глаза, он посмотрел на санитарку, которая ворочала его, как неодушевленный предмет.

— О! Ну-ка успокойтесь, месье Делег! Я вас просто помою, и все! Ну же, прекратите этот цирк! И не надо так на меня смотреть. *Странный он все-таки! Может лежать себе спокойно, как паинька, а потом вдруг, ей-богу, как будто убить готов.*

Жереми поискал глазами, кому адресовались эти слова. Он увидел на другом конце палаты еще одну санитарку, которая мыла старика — тот послушно позволял себя ворочать.

— Ну вот, теперь вы чистенький. Сейчас надену вам пижаму и халат. Сегодня у вас, может быть, будут гости.

Поняв ситуацию, Жереми пришел в ужас. Это пробуждение обернулось новым кошмаром, еще хуже предыдущих.

Закончив его одевать, санитарка быстро побрила ему бороду и причесала волосы.

— Теперь вы красавчик, месье Делег. Сейчас я вам покажу.

Она поднесла ему зеркало.

Жереми почти инстинктивно зажмурился. Что он увидит? Надо ли смотреть в лицо этой новой действительности, как он предчувствовал, жестокой?

Но любопытство пересилило — он посмотрелся в зеркало. И сразу же об этом пожалел. На него смотрел пожилой человек. Старик. Морщинистая кожа, впалые глаза, почти совсем седые волосы. А на лбу — выпуклый круглый шрам.

243

Это видение было ужасно. Оно говорило не только о множестве потерянных лет, но и об отсутствии будущего. На что он мог еще надеяться, немощный, навеки прикованный к этой кровати?

Узник своего тела, он попытался успокоиться и рассуждать здраво. Не означала ли эта ситуация его полную победу над другим Жереми? Он выиграл поединок. И готов был терпеть последствия.

Подошла санитарка.

— Ну вот, а теперь мы покушаем, — объявила она, повязывая ему салфетку.

После завтрака Жереми вывезли на прогулку. Потом, к концу обеда, санитарка прикатила его в столовую. Она принесла ему пирог, в который была воткнута зажженная свечка.

— С днем рождения, месье Делег! — провозгласила она, гордая собой. — Для шестидесяти пяти свечей места не хватило, я поставила одну. Задуйте!

Жереми принял эту информацию с полным безразличием. Шестьдесят пять лет, подумал он. А на вид ему было много больше. Он перепрыгнул двадцать два года своей жизни. Двадцать два года беспробудного сна. Не важно: теперь он ближе к смерти.

Санитарка захлопала в ладоши, призывая к вниманию всех пансионеров в столовой.

— Сейчас мы споем для месье Делега. Ну-ка, хором!

И все старики и старухи, в здравом уме и не очень, веселые, грустные, калеки и паралитики, запели "С днем рождения". Жереми смотрел на них с испугом. Жизнь издевалась над ним. Он и хотел бы смириться с ней, обречь себя на безразличие до самой смерти, но она настигала его, изобретательная и беспощадная. Он был двадцатилетним юношей, заключенным в теле немощного старца. Вокруг него лица — отсутствующие, приветливые или безумные — пели ему об уходящем времени. И тут он засмеялся, истерическим смехом, приглушенным его неспособностью раскрыть рот, смехом безумца, смехом больного, не в силах объяснить, чему смеется.

"Я среди живых мертвецов. Я на своем месте. У меня нет больше семьи. Я один. Как же, должно быть, несчастен тот, кто разрушил мою жизнь! Неподвижный в кресле на колесиках, он ест с ложечки и поет с сумасшедшими!"

Жереми успокоился. Солнечные лучи ласкали его кожу. Санитарка вывезла его на террасу, и он нежился в одиночестве под теплым ветерком.

Ему хотелось умереть сейчас, в этом состоянии покоя и блаженства. Он закрыл глаза, чтобы уснуть, в надежде ускорить свой конец.

— С днем рождения! — сказал рядом голос, который он тотчас узнал.

Перед ним стоял Симон с подарком в руке.

Удивление и радость встречи, но и неловкость от своего жалкого положения смешались в нем, его охватил страх. Чего хотел от него сын? Почему улыбался так приветливо? Он уже видел его таким?

Симон сел напротив него. Он выглядел смущенным, поджимал губы с каким-то неопределенным выражением.

Жереми хотел заговорить с ним, но издал лишь сдавленное мычание.

Не зная, что сказать или сделать, Симон показал подарок и, улыбаясь, положил сверток на колени Жереми.

— Я тебе его разверну, если хочешь.

Жереми был счастлив услышать от него "ты".

Симон разорвал бумагу и достал кепку и шейный платок. Поколебавшись, он повязал платок на шею отцу. Потом надел ему на голову кепку и отступил на шаг, чтобы посмотреть на него.

246

— Тебе идет.

Жереми едва заметно дернул головой в знак благодарности и тихонько поднял руку. Внимание Симона было ему бальзамом на сердце.

Он осторожно вдохнул, пытаясь произнести хоть слово, но опять издал лишь невнятные звуки.

— Ты хочешь со мной поговорить? Сестры сказали, что ты можешь писать правой рукой. Они дали мне бумагу и ручку.

Стало быть, у него остался способ общения.

Он взял бумагу и ручку и написал: "Почему ты пришел меня навестить?"

Симон взял у него из рук листок и, прочитав вопрос, не сразу поднял голову. Он задумался, невесело усмехаясь.

— Потому что у тебя день рождения. И сегодня ты, может быть, мой отец.

Эти слова взволновали Жереми.

Жестом он потребовал бумагу.

"Ты уже приходил после нашей последней встречи?"

Симон кивнул:

— Да, часто. И в каждый твой день рождения. Но ты никогда не задавал мне таких вопросов.

247

Они обменялись глубокими взглядами, в которых было столько слов, столько жестов любви, столько сожалений и столько радости.

— В каждый свой приход я надеялся, ждал знака, взгляда, который сказал бы мне, что передо мной тот человек, которого я оставил тогда, в гостиничном номере. Первые пять лет ты отказывался меня видеть. Потом я всетаки прорвался к тебе, но ты оставался холодным, недоступным. Я видел, как мечутся твои глаза, силясь понять, что я здесь делаю. И каждый раз я понимал, что ты не в нормальном твоем состоянии. Что внутри этого неподвижного тела ты — тот, другой. Сегодня — иное дело. Странно, я это понял почти сразу.

Глаза Жереми затуманились. Его сын искал его, ждал. Симон взял его за руку.

— Как ты ухитрился оказаться в таком состоянии? — спросил он мягко. — Разве не было другого выхода?

"Может быть, но тогда у меня не было выбора. Расскажи мне о себе, о своей жизни, о брате. О матери".

— Думаешь, это хорошая идея? — спросил Симон, подняв брови.

Жереми кивнул.

— Мама и Тома не знают, что с тобой случилось. Я никогда не рассказывал им ни о нашей встрече в день твоего выхода из тюрьмы, ни о нападении на тебя — я узнал о нем назавтра, когда пришел к тебе в гостиницу. Я сочинил для них байку об автомобильной аварии. Ты, мол, прикованный к инвалидному креслу, живешь где-то во Флориде. Я должен был удалить тебя от них, пусть думают, что ты где-то не здесь, безобидный для них, в каком-то смысле наслаждаешься жизнью. Скажи я правду, мама бы себе не простила. Она решила бы, что ты довел себя до такого состояния, чтобы спасти ее. И она не смогла бы жить спокойно, зная, что ты так близко и дела твои так плохи. Это я поместил тебя сюда. Я консультировался со специалистами. Читал медицинскую литературу, искал случаи амнезии, похожей на твою, но ничего не нашел. Врачи говорят, что вряд ли к тебе полностью вернется твоя истинная личность. Но я не теряю надежды...

Жереми сжал руку Симона. Ему, недостойному отцу, повезло с сыном. С сыном, который все еще надеялся вновь обрести своего отца, пусть даже парализованного.

— Ах да, — продолжал Симон, — забыл тебе сказать: мы с Тома оба женаты и у нас есть дети! У меня мальчик и девочка. Моему сыну двенадцать лет. Его зовут Мартен, как... твоего отца. Жюли шесть. У меня есть фотографии.

Он достал бумажник и открыл его. Жереми увидел двух прелестных детишек, стоявших в обнимку на пляже.

— Забавные, правда? — улыбнулся Симон. — А у Тома сын Саша, пять лет. Они живут в Лионе. Тома — управляющий французского филиала крупной американской компании. А я художник. Мои картины неплохо продаются. Ну вот, что еще сказать? Знаешь, нелегко уложить столько лет в несколько слов.

Эти фотографии, комментарии Симона, то, как он был рад поделиться с отцом, — все это наполнило Жереми радостью. У него есть семья, внуки! Он одолел своего двойника и помог этому счастью осуществиться.

"Я счастлив за вас.

Ты не сказал, что сталось с твоей матерью. Можешь мне рассказать. Я надеюсь, что она счастлива".

Симон промямлил, запинаясь от смущения:

— Замуж она больше не вышла, но живет с мужчиной уже пятнадцать лет. Его зовут Жак. Он адвокат. Она больше не работает. Предпочитает заниматься внуками. Она чудесная бабушка.

Жереми опустил глаза. Виктория больше не принадлежала ему. Лишь считаные часы, считаные дни прожил он с ней.

"Я устал. Отвези меня в палату, пожалуйста".

Симона, казалось, огорчила внезапная усталость отца.

Он подкатил кресло к его кровати. Снял с него одежду, поднял на руки и уложил. За дверью санитарки уже начали разносить ужин.

Симон подоткнул отцу одеяло. Его рука неуверенно приблизилась и погладила ему лоб.

— Я буду приходить к тебе, часто. И непременно каждый год в твой день рождения.

Жереми сжал руку и протянул кулак. Симон с минуту смотрел на него, потом нежно стукнул своим кулаком о кулак отца.

— Я очень хорошо это помню. В тот день все было наоборот: я лежал на больничной койке, а ты стоял рядом. Я часто нуждался в тебе все эти годы. Мне так хотелось, чтобы ты был моим отцом и жил счастливо с мамой. Хотелось настоящую семью!

Он удержал слезы, перехватившие ему горло, нагнулся и поцеловал отца.

— Прошу тебя, возвращайся в следующий раз поскорее, — шепнул он и вышел.

Жереми остался один; его ждал сон.

Глава 9

8 мая 2055

Это был его последний день. Он понял это, едва проснувшись.

Жереми узнал больницу. Та же палата или другая, похожая.

Он был стар, и тело его больше не боролось за жизнь.

Он не мог рассеять плотные клубы густого пара, колыхавшиеся в его мозгу, душившие мысль, туманившие видение, заглушавшие звук.

Он не был этим безвольным телом, которое мыли чужие руки. Он был душой, которая входила и выходила, искала направление, не зная, куда двигаться.

Санитарки поздравили его с днем рождения, как малого ребенка. Одна из них выдала ему информацию, которой он ждал.

— Через год, месье Делег, мы отпразднуем ваш юбилей — три четверти века!

Он давно все подсчитал между двумя отсутствиями и расположил каждый свой поступок в проблесках своей жизни.

Жизнь длиной в девять дней. И столько событий. Мало из них можно назвать счастливыми, но подлинно счастливые хранили дыхание страсти.

Девять дней. И так много утраченных надежд.

253

Его одели в антрацитового цвета костюм и белую рубашку с бордовым галстуком. Тщательно причесали и побрызгали одеколоном. Жереми подумал, что ему готовят маленький праздник в честь дня рождения.

Он боялся момента, когда ему поднесут зеркало, чтобы он мог полюбоваться собой, но ни одна санитарка об этом не подумала. Ему не хотелось видеть, каким он стал. Он попытался пошевелить правой рукой, но она стала такой же неподвижной, как и все остальное тело. В этом теле, как в могиле, была погребена душа, которой было всего лишь двадцать лет и несколько дней.

Он был телом — без жизни.

Он был стариком, и единственной его надеждой было увидеть своего сына.

Ему было необходимо наполнить смыслом свои последние часы, проститься с жизнью, не сползти тупо в небытие, не уйти, не увидев в последний раз дорогое существо, не ощутив ласку любящей руки.

Жереми усмехнулся про себя при мысли, что его сыну еще может быть интересна эта руина из плоти и струпьев. Может быть, он уже не надеется?

254

Весеннее солнце ласкало его кожу. Он замечтался, представляя себе, как лучи проникают в каждую пору, чтобы отогреть клетки, пробудить жизненные функции, подзарядить их недостающей энергией. Еще немного — и он сможет встать, пройтись, заговорить и засмеяться.

Облако заслонило солнце, и Жереми мысленно выругался. Он открыл глаза, чтобы оценить размер помехи.

Перед ним стоял Симон. Жереми почувствовал, как в нем разлилось тепло. Еще один источник энергии.

Симон всматривался в глаза Жереми, и тот понял, чего он ищет. У него вырвался невнятный звук. Симон подошел ближе. Жереми пристально уставился на него, щуря глаза и хмуря брови, изо всех сил стараясь дать ему понять, что он здесь.

Симон протянул руку и накрыл ею ладонь старика. От этого прикосновения Жереми почувствовал, как его рука чуть двинулась. Он сосредоточил всю свою волю на этой части тела — и пальцы зашевелились. Он собрался еще, боясь, как бы густой туман возраста не унес плод его усилий.

Симон понял и устремил глаза на его руку, которая едва заметно шевелилась.

И тогда вся его любовь, вся воля, вся энергия солнца и счастья вновь увидеть сына позволили ему согнуть пальцы и приподнять сжатый кулак на несколько сантиметров.

Симон растроганно улыбнулся. Он приложил свой кулак к кулаку отца и посмотрел на него с победоносным видом.

— Значит, ты вернулся наконец? — прошептал он. — Я так счастлив! Это как знак свыше! Я так на это надеялся! Сегодня свадьба моего сына. Я хотел, чтобы ты на ней был!

Он сел, взял руку отца и потер ее.

— Я знаю, ты понимаешь все, что я говорю. Знаю, что ты задаешь массу вопросов. Постараюсь на них ответить. Во-первых, я на-

255

вещал тебя, часто. Не только в твои дни рождения. Меня так взволновала наша встреча девять лет назад. Конечно, каждый раз я убеждался, что тебя нет. Но проводить с тобой время, знать, что где-то за этим неподвижным телом — душа моего отца, мне было достаточно.

И когда мы назначили дату свадьбы Мартена, я молил Бога, чтобы ты вернулся. Мне так хочется познакомить тебя со всей семьей.

Я говорил им о тебе вчера вечером. Мы собрались у нас дома. Я сказал детям, что у них есть дедушка и что сегодня они с тобой познакомятся. Они были взволнованны, сам понимаешь. Даже рассердились, что я скрывал от них правду. Я и сам засомневался, прав ли я был, храня эту тайну для себя одного. Слишком поздно, подумал я. Все пришло слишком поздно. И жизнь прошла.

Я рассказал о тебе и маме, и Тома. Они были потрясены. Тома даже, кажется, обиделся на меня, сам толком не зная почему. А мама как будто вздохнула с облегчением. Признаюсь, она волнуется при мысли, что увидит тебя сегодня. Вообще-то она не знает, что и думать. Она считает, что ты не в своем уме, — так ей, наверно, легче принять мысль об этой встрече.

Вот. Я не знаю, ответил ли на все твои вопросы. Не знаю, хочешь ли ты пойти со мной, но есть в жизни моменты, когда сын должен принять решение за своего отца.

Жереми шевельнул рукой, успокаивая сына. При мысли предстать перед Викторией таким ущербным он сначала испугался. Но, подумав о совсем близкой смерти, ощутил необходимость увидеть ее в последний раз.

— Ты просто красавец-дедушка, — сказал Симон. — Борода тебе очень идет. Санитарки, наверно, уже собрали твои вещи. Я приду за тобой через несколько минут.

Симон встал и скрылся. Жереми почувствовал, как им овладевает безмерная усталость.

Эта встреча потребовала слишком много энергии, всколыхнула слишком много чувств.

Его одолела дремота.

257

Они были перед синагогой.

Симон на руках вынес его из машины и осторожно усадил в инвалидное кресло. Теперь он катил его перед собой среди гостей, которые здоровались друг с другом на тротуаре. Много глаз устремилось на Жереми. Он слышал вопросы и шепоток за спиной.

Подошла молодая девушка, и Жереми на миг показалось, что он бредит. Она была вылитая Виктория, такая, какой он оставил ее в день своего двадцатилетия.

— Познакомься, это Жюли, моя дочь. Твоя внучка, — сказал Симон, глядя поочередно на него и на нее.

Первое удивление прошло, и Жереми с нежностью рассматривал внучку. У нее были повадка и улыбка бабушки, но лицо тоньше, чем у Виктории. В темно-голубых глазах светилась нежность, готовая излиться на все живое и неживое. Маленький прямой носик был шедевром гармонии.

Она нагнулась и поцеловала его.

— Здравствуй, дедушка. Я счастлива с тобой познакомиться.

Неподвижность тела Жереми и отсутствие реакции, кроме неуловимой усмешки в уголках губ, удивили ее. Она подняла глаза на отца, и тот грустной улыбкой ответил на ее незаданный вопрос.

— Я поручаю тебя Жюли. Она будет с тобой во время церемонии. Сам я должен идти об руку с тещей моего сына. Семейные обязанности! — сказал Симон и скрылся среди гостей.

Жюли устремила на деда ласковый взгляд:

— Я правда очень рада с тобой познакомиться. Я мало о тебе знаю... но все равно счастлива.

Жереми заворожило это лицо, так напоминавшее ему его утраченную любовь. И тут ему подумалось, что Виктории ведь столько же лет, сколько ему. Как глупо, что он не сообразил этого раньше! С самого приезда он высматривал ее в толпе гостей. Неужели она так же постарела, как он? Он содрогнулся: не лучше ли было сохранить образ ее красоты, который до сих пор не давал ему покоя?

— Ну, поехали. Там есть специальные места для семьи.

Сердце Жереми так и подпрыгнуло от этих слов. У него есть семья!

Жюли поставила его кресло в конце ряда, справа от балдахина для новобрачных, и села рядом.

К нему стали подходить люди; с ним знакомились, говорили любезные слова, целовали. Жюли пыталась всех представлять, но Жереми быстро запутался. Тут были кузены, племянники, дяди и тети. Время от времени чье-то имя казалось Жереми знакомым, но другие лица отвлекали его слишком быстро, чтобы разобраться в родственных узах, связывавших его со всеми этими мужчинами и женщинами, кружившими вокруг. И все же он был счастлив быть в центре этого движе-

259

ния, включиться в эту кипучую жизнь, слышать любезности и теплые слова.

— Вот, начинается, — шепнула ему на ухо Жюли.

Звуки скрипки возвестили о начале церемонии.

Жереми не мог видеть двоих вошедших. Они были слишком далеко, и он различал лишь два смутных силуэта, вышагивавшие под музыку. Согласно обычаю, это должны были быть жених и его мать. Они встали под балдахином, затем вошла невеста под руку со своим отцом. Следом шел сияющий от счастья Симон с матерью невесты. Проходя мимо отца, он улыбнулся ему и подмигнул дочери.

Вошло старшее поколение. Когда две тени приблизились к балдахину, Жереми сразу узнал осанку, походку и посадку головы Виктории. Кровь прилила к его мозгу, пурпурно-золотое убранство синагоги поплыло перед глазами. Волнение было так сильно, что он боялся потерять сознание. Но затем оно сменилось иным, отрадным чувством. Он ощутил биение своего сердца, и приятное тепло разлилось по всему телу. Он наконец чувствовал себя живым. Только Виктория еще могла пробудить его к жизни.

Когда она оказалась меньше чем в трех метрах от него, он смог разглядеть ее лицо, и глаза их встретились. Она смотрела на него достаточно долго, чтобы Жереми мог изучить каждую черточку ее лица, понять каждое слово, безмолвно ею сказанное. В ее взгляде сквозила нежность, но и растерянность, и, может быть, немножко — страх. Она все еще была очень красива. Возраст лишь смягчил ее черты, да несколько морщинок залегло в уголках глаз.

"Вот и ты, — говорили глаза Виктории. — Мы снова сошлись вместе после стольких лет, чтобы присутствовать на освящении любви, счастливого результата нашей. Я помню нашу любовь, Жереми. Она могла бы быть невероятно прекрасной, если бы все не рухнуло. Если бы ты не пытался покончить с собой, если бы я раньше поняла, что ты — мужчина моей жизни, если бы тебя вылечили, если бы... просто если бы ты остался тем человеком, который когда-то, в день своего двадцатилетия, сумел в нескольких словах объяснить мне, что я не смогу больше жить, не согреваемая его дыханием. Мы должны были пройти долгий путь и закончить его не так. Должны были прийти сюда вместе. Сидеть рядом, любоваться нашим творением и гордиться этим новым пламенем, которое будет пылать ярче нашего. Но посмотри на нас, Жереми! Ты — в инвалидном кресле, с застывшим лицом. Я — бабушка, прилагающая столько усилий, чтобы выглядеть моложе. И в твоих глазах, которые, кажется, одни только и живут, я читаю те же сожаления об этой потерянной жизни".

И Жереми отвечал ей:

"Да, вот так мы встретились. Невероятно и бессмысленно. Наши пути пересеклись. Еще и сегодня, на пороге смерти, судьба посылает мне образ моего краха и эхо долгого крика моей утраты.

Я пришел проститься с тобой, Виктория, отдать последнюю дань этому шансу, который так коварно ускользнул от меня, точно вода в пригоршне моих иссохших рук, утек, не утолив моей жажды, лишь смочив мои губы и оставив на них ощущение ожога.

Сказать ли тебе, как мне больно за все то зло, что я тебе причинил? Сказать ли тебе, как я жалею о жизни, которую мог бы прожить с тобой? Сказать ли тебе, как я был бы счастлив, если бы мы сидели сегодня рядом и вместе гордо наблюдали, как плод нашей любви продолжает начатую нами историю?

Зачем говорить тебе все это? Чтобы больше помучиться перед уходом или чтобы оставить тебе сожаления, как последний отпечаток моего пребывания на земле?

Я ничего не оставлю, Виктория. Моя жизнь — бездна, черная дыра, поглощающая свет. Черная дыра, Виктория. Длинный туннель, в котором лишь редкие просветы позволяли мне видеть сияние солнца, ощущать ласку ветра, — и снова в темень, в долгий путь без жизни, без тебя, без меня, до следующего просвета. Перед лицом смерти, говорят, надо оправдать свою жизнь, чтобы заслужить превращение небытия в наполненность.

263

Что же могу перед лицом смерти предъявить я? Лишь несколько дней жизни, смысл которой теряется в минутах до и после?

Я все еще люблю тебя, Виктория, как в первые дни.

Ведь это и есть мои первые дни".

Виктория села в кресло у балдахина, спиной к Жереми. Элегантно одетый мужчина рядом с ней приветствовал Жереми улыбкой, в которой было больше сочувствия, чем вежливости.

Виктория выглядела смущенной, сидя очень прямо в своем кресле. Она знала, что

Жереми видит этого мужчину подле нее, и понимала, какие чувства он должен испытывать. Потом гости расселись и скрыли от него Викторию. Жереми почувствовал, как силы покидают его. Он слишком долго старался сосредоточиться, и теперь подступала старческая слабость.

Чья-то рука легла на его плечо, и это привело его в себя.

Рядом с ним был Пьер. Лысый, согбенный старик. Его глаза по-прежнему светились живым умом.

Он, казалось, был рад снова встретить своего друга и опечален его нынешним положением.

Для Жереми Пьер был если не по-прежнему другом, то человеком, поддерживавшим Викторию в трудные годы, и он был ему за это благодарен.

— Здравствуй, Жереми. Я счастлив тебя видеть.

Он помолчал.

— Мне трудно с тобой разговаривать. Да и что тебе сказать? И все же много лет я представлял себе эту встречу. Хороша была моя роль, сам понимаешь. Я выкладывал тебе напрямик все, что думаю, находил самые верные слова, чтобы задеть тебя.

Он с горечью пожал плечами.

— Это был как будто и не я! Но все же я был так обижен.

Он снова помолчал, вспоминая ту пору, для него такую далекую.

— Какой в этом смысл сегодня? Мы с тобой — два старика, которым не дает покоя прошлое. Хотя... Тебе, думаю, еще хуже. Я знаю, что, хоть ты по-прежнему помнишь лишь несколько дней рождения, воспоминания для тебя еще ярче и, наверно, мучительнее. Мои кажутся такими далекими, что порой как будто мне не принадлежат. И потом, должен тебе признаться, ты оказал мне большую услугу. Клотильда была не создана для меня. Я женился на другой и счастлив. Я не готов благодарить мерзавца, которым ты был, но... Я знаю, что ты сделал, чтобы защитить Викторию и детей. Я понял, как сильна твоя любовь к ней. Все это так несправедливо, Жереми. Такая любовь и такая беда...

Он глубоко вздохнул.

— Мы и оглянуться не успели, а смерть уже близко. Жизнь слишком коротка, твердят старики. Мы ничего не понимаем, пока молоды. Идем, полные надежд, к тому, что мы называем будущим. Это слово обманчиво, в нем заключена идея вечной гонки. Но жизнь конча-

265

ется, а оно так и не обретает смысла. Жизнь впереди пуста и полна позади. Сегодня я богат своим достоинством мужчины, отца, мужа, друга. Это наследство я завещаю тем, кого люблю, чтобы они не гнались за будущим, а трудились, строя свое прошлое.

Раздался шепоток: Пьера просили замолчать. Начал говорить раввин.

Рука Пьера сжала плечо Жереми.

— Я оставлю тебя, — сказал он, — пойду сяду. Встретимся позже.

266

Время опять выбилось из ритма: церемония, как ему показалось, длилась лишь считаные секунды.

Когда дошло до молитв, Жереми почувствовал, что слабеет. Каждое слово, каждая интонация били его наотмашь. Кровь застыла в жилах, и холодный пот выступил на лбу.

— Что с тобой, дедушка? Почему ты так вспотел? Эй! Ты в порядке? — встревожилась Жюли.

Она поняла, что ему нехорошо, и, пока гости вставали, покатила кресло, насколько могла незаметно, к выходу.

— Хочешь, я позову кого-нибудь? — спросила она, отирая ему лоб. — Тебе, кажется, получше, нет?

Чей-то голос окликнул ее. Он прозвучал из-за спины Жереми.

— Ступай, Жюли, я займусь твоим дедушкой.

Жюли колебалась. Ей хотелось увидеть конец церемонии, но было совестно оставлять Жереми.

— Нет, я останусь с ним, — ответила она.

— Уверяю тебя, ты можешь идти, — продолжал голос ласково и твердо. — Твоему дедушке уже лучше. Я останусь с ним. Мы давно не виделись, и мне хотелось бы поговорить с ним немного.

И человек взялся за ручки кресла Жереми, показывая свою решимость.

Жюли улыбнулась деду:

— Все будет в порядке? Я скоро вернусь.

Человек подкатил кресло к скамье и сел напротив Жереми.

Это был Абрам Шрикович. Его волосы и бороду овеяло белое дыхание времени. За очками с толстыми стеклами прятались живые глаза. Он смотрел на Жереми серьезно, поглаживая бороду и чуть заметно покачиваясь.

— Вы меня помните, не так ли? — спросил он.

Впрочем, не столько спросил, сколько завязал таким образом разговор.

— Ваш сын сказал мне, что вы будете здесь сегодня. И только что он шепнул мне на ухо, что вы... в самом деле здесь.

Он помолчал, подбирая нужные слова. Жереми испытывал то же нетерпение, что в их прошлую встречу в тюрьме. Он хотел знать, хотя теперь это было уже ни к чему.

— Я не мог забыть вас. Наша встреча глубоко запала мне в душу. Вы заронили в меня зерно сомнения. Как вы тогда поняли, была у меня мысль насчет вашей истории. Вы говорили о каком-то сведении счетов между Богом и вами. О вызове, каким был ваш поступок. О смеси тяги и отторжения, которую вы испытывали ко всем проявлениям религии. После нашей встречи я попытался связаться с раввином, который был авторитетом в области... иудейской мистики. Мне это не удалось. День прошел, и я мучился, зная, что вы ждете от меня знака, слова. Я встретился с ним несколько дней спустя и рассказал ему вашу историю. Он решительно попросил меня забыть о вашем случае и прекратить всякие поиски. Советы таких людей в моей среде не обсуждаются. Я выбросил вас из головы. Постарался не думать о вас больше. Но я не мог забыть ваших слов. Ваш молящий взгляд и правдивые интонации не давали мне покоя.

Хасид помолчал, обдумывая дальнейший рассказ. Он выглядел озабоченным.

Жереми боролся с усталостью, стараясь сохранить ясную голову. Он понял, что Абрам Шрикович знает правду.

Абрам Шрикович между тем продолжал, поглаживая бороду:

— И я встретился с вашим сыном, Симоном, много лет спустя. Он наводил о вас справки и виделся с вами, когда вы вышли из тюрьмы. Ему было известно, что я навещал вас там, и он хотел знать, о чем мы говорили. Его рассказ возбудил мое любопытство. Тогда я снова стал думать о вас. И вот что я понял.

Волнение захлестнуло Жереми. Он наконец узнает правду! Он испугался, что потеряет сознание или умрет, не успев услышать, что скажет ему Абрам Шрикович. Надо было продержаться еще немного!

— Вы упоминали псалмы тридцатый, семьдесят седьмой и девяностый. Они дают коекакие ключи к пониманию вашей истории. Псалом девяностый предостерегает того, кто бросает вызов Богу. В свете Всевышнего никакая ошибка не прощается, и гнев Его сокрушителен. "Все дни наши прошли во гневе

269

Твоем; мы теряем лета наши, как звук"[1]. И человек, растерянный, обращается к Богу и молит Его о прощении. Псалом семьдесят седьмой: "Глас мой к Богу, и я буду взывать; глас мой к Богу, и Он услышит меня. В день скорби моей ищу Господа; рука моя простерта ночью, и не опускается"[2]. Послушайте это, Жереми! Встретившись с вашей истерзанной душой, эти слова зазвучали по-особому и глубоко потрясли вас. "Размышляю о днях древних, о летах веков минувших; припоминаю песни мои в ночи, беседую с сердцем моим, и дух мой испытывает: неужели навсегда отринул Господь, и не будет более благоволить? Неужели навсегда престала милость Его, и пресеклось слово Его в род и род? Неужели Бог забыл миловать? Неужели во гневе затворил щедроты Свои?"[3] В этих псалмах рассказана ваша история! В них говорится о вашей борьбе против Бога, о Его способности уничтожать тех, кто бросает Ему вызов. О данной людям возможности прожить в полной мере свою жизнь... или прожить свою смерть. И еще — псалом тридцатый. Он о власти Бога прощать, да-

---

[1] Псалтирь, 89: 9.
[2] Псалтирь, 76: 2–3.
[3] Псалтирь, 76: 6–10.

ровать душе способность снова петь, строить, расцветать в благодарности тому богатству, что есть жизнь. Бог часто дает второй шанс. Было ли вам в нем отказано, Жереми? Не думаю. Правда в другом. То есть... правда. У меня нет никакой уверенности... нет, в самом деле... никакой уверенности, — произнес он почти неслышно.

Его лицо вдруг помрачнело, взгляд затерялся в мыслях и словах, которые он с усилием подбирал. Теперь он, казалось, сомневался, интересны ли этому старику его откровения.

271

А Жереми только и хотелось, что умолять его продолжать, но неподвижное тело мешало. Силы начали покидать его. Он чувствовал, что вот-вот уйдет, потеряет сознание на время или навсегда. Он сделал последнее усилие, собирая остатки энергии, еще рассеянные в уголках его воли. Взбунтовавшись против своего тела, он попытался крикнуть, но смог издать лишь слабый стон. Раввин поднял голову, и Жереми посмотрел на него с решимостью. Его взгляд выражал всю твердость непонимания, накопившуюся за долгие дни амнезии. Он не хотел потерпеть крах так близко к цели. Он хотел узнать — прежде чем умрет.

Абрама Шриковича испугал взгляд Жереми. Он кивнул, потом нагнулся и дрожащим голосом прошептал ему на ухо:

— Жереми, я думаю, что... вы действительно умерли восьмого мая две тысячи первого года.

Его тело вдруг соскользнуло в бездну. Не осталось никаких ощущений. Только голос Абрама Шриковича он еще слышал.

— Вы умерли восьмого мая две тысячи первого года. Но вы также умирали в конце каждого из дней, в которые вы осознавали последствия вашего самоубийства, Жереми.

Жизнь — богатство, которое люди не могут в полной мере оценить. Каждый наш выбор открывает возможность иного мира. При каждом пробуждении огромный мир открывается нам. Сколько путей! Сколько выборов! Лишь мы сами можем отыскать тот, что ведет к счастью. И всегда есть один, худший из всех и порой самый соблазнительный. Этот путь — отказаться выбирать. Отказаться идти вперед. Отказаться жить.

Восьмого мая две тысячи первого года вы сделали этот выбор, Жереми. Ваше решение было вызовом, оскорблением, брошенным Богу. Наши души живут на земле, чтобы учиться. На жизненном пути они должны облагораживаться, совершенствоваться. Тот, кто губит свою душу, не созидая себя, не стремясь расти всю свою жизнь, живет как труп. Бесполезный. Бесплодный. Так много на этой земле людей, чья душа потерялась в забвении главного. Столько потерявших память. Столько неприкаянных душ! Еще детьми люди познают ценности и чувства, которые должны их направлять. Но они предпочитают видеть мир на свой вкус. И вы тоже, Жереми, позабыли о ваших ценностях. Ваш поступок был худшим оскорблением жизни. Худшим оскорблением Богу. И Богу было угодно, чтобы вы осознали вашу ошибку. Тогда... тогда другая душа вселилась в ваше тело, душа, созданная, чтобы наслаждаться, мараться и разрушать. Даже не совсем другая душа. Темная сторона вашей. Та, которую выпустил на волю ваш выбор.

А подлинная ваша душа возвращалась в ваше тело ненадолго, на несколько дней, чтобы позволить вам оценить последствия вашего поступка, увидеть, как ваш выбор разрушил целый мир. Лишь несколько пробуждений, несколько явлений в важные моменты этой жизни, от которой вы отказались.

Отринув жизнь, вы выбрали ад. Ад — это осознание наших ошибок без возможности их исправить. И Бог показал вам плоды вашей ошибки. Вы осознали ваше преступление, но загладить его не могли. И внутренний огонь сжег вас. Быть может, это и есть ваш ад, Жереми...

Однако иногда Бог прощает. Он дарует второй шанс. Было ли вам в нем отказано? А вы-то о нем просили? Вы хоть раз молили Его о прощении?

Жереми перестал дышать, и плотное облако, плывшее перед его глазами, внезапно окутало все его существо.

Глава 10

Он лежал в темной комнате, и тело его покачивалось на легкой волне, тихонько увлекавшей его куда-то. Вдали проблеск приветливого света, казалось, ждал его.

Послышался голос. Может быть, голос Абрама Шриковича. Но, более далекий, он звучал глубже.

"Людям дана сила творить великое. Они могут строить свои жизни, или создавать новые, или помогать созиданию других жизней. Человек никогда не живет один. Одиночество — иллюзия. Обман отчаяния.

Быть одному — значит отринуть ближних. Быть в отчаянии — значит отринуть надежду. Захотев умереть, ты принял решение, которое затрагивало других людей, другие жизни, тесно связанные с тобой. Ты разрушил смысл своей жизни и тех, других, что должны были строиться вокруг тебя, из тебя. Жалеешь ли ты об этом, Жереми? И как сильно ты об этом жалеешь?"

Свет как будто стал ближе. Или это он приближался к нему?

Появился Симон, подошел. Жереми показалось, что он соскальзывает вниз в замедленном темпе. Сын склонился над отцом и поцеловал его в лоб.

Перед глазами Жереми все расплывалось. Голос сына долетал до него, словно сквозь вату, и он не видел, как шевелятся его губы.

"Мне тебя не хватало, папа. Твое отсутствие заполонило мою жизнь, видно, я слишком сильно хотел тебя забыть. В моем детстве ты был чудовищем, притаившимся в сумраке кошмаров. Мы запретили себе произносить твое имя, из страха, что ты вдруг появишься. И все же иногда мне хотелось увидеть тебя глазами любви, таким, каким ты показался мне однажды, окутав мое сердце волной тепла. Но действительность нахлынула беспощадным приливом, отбросив мои мечты на острые края моей раненой души.

Когда я вновь обрел тебя, было слишком поздно писать историю. Лишь поставить точку, завершить абзац последней фразой, которая наполнила бы смыслом эти годы ожидания.

Я знал тебя всего несколько часов. Но они были так богаты... Достаточно, чтобы оставить мне сожаление обо всех этих годах, прошедших в ненависти к тебе и надежде.

Мне так тебя не хватало".

Потом Симон исчез, и вошел Тома.

Он остановился в нескольких метрах от Жереми.

"Какая ирония! Только на смертном одре твое лицо выражает наконец немного человечности. Ты — мистификатор, вор. Ты лишил меня беззаботности и украл мое детство, иссушив источник моих грез. Кошмары освещали мои ночи своим грязным светом. Я боялся сделать шаг, чтобы не увидеть рядом тебя, готового уничтожить мою мать и разрушить наши надежды на лучшее будущее, на будущее без тебя.

Там, где ты теперь, человек ценен лишь тем, что он оставил после себя: любовь, ненависть, добродетели, пороки, величие, низость... В час суда горе и молитвы становятся его защитительной речью.

Я принимаю твое наследство и приобщаю его к делу.

Я — свидетель обвинения".

THIERRY COHEN ★ J'aurais préféré vivre

Жереми не хотел видеть этих лиц, не хотел слышать этих голосов. Они были сущей пыткой.

Его душа искала выхода, стремясь к покою. Отделиться от тела? Устремиться к этому свету? Найти утешение в этом источнике тепла?

Но появились его родители. Отец держал на руках маленькую девочку, лица которой Жереми не было видно. Он устремил на сына холодный взгляд.

"Я не прощаю тебя".

Потом подошла мама. "Что мы сделали, Жереми?" — прошептала она.

И они ушли.

Душа его вдруг заметалась. Свет звал ее.

Но вошла Виктория. Она склонилась над ним, улыбаясь. Ее глаза были полны любви.

"Я люблю тебя", — сказала она.

Она была так красива! Одно ее присутствие было лаской, способной его умиротворить. И душа Жереми закружила вокруг нее, опьяняясь ее теплой энергией.

Но вдруг раздалось сразу несколько голосов — они читали молитву. Вновь появились у его ложа отец, Симон и Абрам Шрикович. Все трое раскачивались взад-вперед вокруг его лежащего неподвижного тела. Звучала молитва об усопших. И тут Жереми сполна

278

осознал свой конец. Все муки, которые он испытал за свою недолгую жизнь, пробудились разом и набросились на его душу.

Он искал старика, который столько молился о нем всякий раз, когда он, казалось, умирал. Этот старик, уже такой знакомый, смог бы облегчить его жестокий страх. Но его не было. И все же он чувствовал его присутствие совсем близко. И тогда душа его взмыла и отправилась на поиски. Она покружила по комнате около лиц троих молившихся, не касаясь их. Потом поднялась еще выше и посмотрела сверху. И Жереми увидел старика. Он лежал с закрытыми глазами, и трое мужчин молились вокруг него.

Силясь бежать от ужасного видения своего собственного лица, душа Жереми устремилась к влекущему свету, полному обещаний, хотя его, в конце этого туннеля, в который ее несло, казалось, невозможно было достичь. Сама эта тяга была силой, и сила эта умиротворяла его. Она была точкой встречи всех его радостей и невзгод. Возможным равновесием, коридором покоя между противодействующими силами.

Но стоны и плач мешали его движению. Звуки, столь же мучительные для его летящей души, как удары ножа по коже ребенка. Душа Жереми остановилась, слушая их, эти слова, в которых различима была только боль. Она зависла в нерешительности.

Крики стали пронзительнее. Каждый был ударом, бившим наотмашь, заставлявшим ее отступить, вновь возвращавшим в тело. Снова Жереми ощутил очертания своих бренных останков здесь, в продолжении его души.

Тотчас его овеяло холодным дыханием. И вернулся страх.

Стоны множились, холод стал пронзительнее, тьма непроглядне. Он услышал голос мамы.

"Что мы сделали?" — спрашивала она, рыдая. До него доносились и другие звуки, далекие. Потом другой голос зазвучал над неотвязным гвалтом. Голос Виктории. "Я люблю тебя", — говорила она ему. И два голоса встретились и отозвались эхом. Мать и жена вместе звали его. Слова, теперь такие близкие, врезались в его душу с невыразимой силой. Ему хотелось завыть.

Его душа снова попыталась вырваться из этого холодного, безжизненного тела, чтобы устремиться к свету, к теплу.

В этот миг он осознал свое самоубийство и понял весь его ужас. Ему вспомнились все его пробуждения. Все эти часы, все слова, все чувства этих нескольких дней. И каждое было острым осколком жизни, по живому резавшим его душу.

И тогда он понял, что тепло, которое влекло его, было лишь обманом. Ничто не ждало его там. Только эхо этих стонов. Гвалт, который будет звучать вечно и станет его адом.

В панике он пытался цепляться за стенки туннеля, в который соскальзывал. Но усилие оказалось невозможным. И он возмутился. Ему не дали второго шанса! Он не заслужил всей этой муки! Теперь он понял! Зачем ему было осознавать свою ошибку, если он не мог ее исправить? Неужели это его ад, как сказал Абрам Шрикович? Нет, невозможно, он ведь умирает! Каков же смысл этого кошмара? Может ли он проснуться? Ему не дали второго шанса!

281

И тогда он воззвал к Богу, туда, где свет. Он взмолился о прощении. Да, он оскорбил Его! Да, он причинил зло своим родителям, жене, детям! Но теперь он понял, сколь драгоценна жизнь! Как попросить прощения? Как высказать свою муку? Как выразить свое глубокое желание жить, созидать историю, делать близких счастливыми? Они простят его, он это знал. Простят того, кем он был до самоубийства. Но Бог?

Слова с вырванной страницы вдруг всплыли в нем. Разрозненные фразы из памяти. И он закричал:

"Тогда к Тебе, Господи, взывал я, и Господа умолял: "что пользы в крови моей, когда я сойду в могилу? будет ли прах славить Тебя? будет ли возвещать истину Твою? Услышь, Господи, и помилуй меня; Господи! будь мне помощником"[1].

Внезапно он вновь ощутил свое тело. Ощутил вкус алкоголя и лекарства на языке, и его затошнило.

Чувствуя, как раскрывается его глотка, чтобы исторгнуть отраву, он выкрикнул имя: "Виктория!"

Чья-то рука сжала его руку.

---

[1] Псалтырь, 29: 9–11.

Благодарности

Когда ты пишешь, ты один, но в тебе живет множество персонажей.

Но когда книга закончена, наступает время других персонажей — из реальной жизни. Тех, кто может поддерживать вас, подбадривать, давать советы — и помочь прожить кусок жизни, достойный самого лучшего романа.

Чтобы поблагодарить первых, вдохновляющих мои истории, я даю им роли в моих книгах.

Чтобы поблагодарить моих близких за то, что они со мной, у меня есть только эта страница.

Благодарю в порядке появления в моей истории:

"Большие воды не могут потушить любви, и реки не зальют ее". *Песнь песней*[1].

Жислен, мою жену, первую читательницу.

Моих детей Солаля, Жонаса и Ялон, первых поклонников.

Мою сестру Сабрину Себбан, первого редактора, внимательного и увлеченного.

Моего брата Бруно. Восторженный читатель, он освободил меня от работы, чтобы я мог писать.

"Милость — подлинный дар фей. С ней мы можем все, без нее не можем ничего". *Шарль Перро.*

Джессику Нельсон. Ей я обязан первым — о чудо! — звонком из издательства. Потом она подбадривала меня, давала советы и сделала мечту явью.

"Любовь к ближнему зовет поэтов, которые способны отдать единственную рубашку". *Альбер Коэн.*

Моих друзей Мишеля Бенуссана, Франки Шрики, Бруно Мерля и Сами Дрейфуса за... многое, многое.

"Ты из моей семьи, из того же ряда, из того же лада". *Жан-Жак Гольдман.*

---

[1] Песнь песней, 8: 7.